La mort d'une mère

ROGER PEYREFITTE | *ŒUVRES*

Roger Peyrefitte

La mort d'une mère

Éditions J'ai lu

1

Dans la nuit du mardi 14 au mercredi 15 janvier 1947, je rêvai que je me promenais avec ma mère dans un parc. Il y avait de beaux arbres, des pelouses et une échappée vers des lointains bleutés, comme dans un tableau classique. Il y avait également un banc de pierre, sur lequel la vieille femme s'assit. Je continuai mon chemin et, m'étant retourné, je la vis disparaître peu à peu : on eût dit que le banc la recouvrait ou la cachait. Je revins sur mes pas : elle avait tout à fait disparu.

Au réveil, je me rappelai cette étrange vision. Dans les circonstances où je me trouvais, elle avait de quoi frapper un esprit, même étranger à *la Clé des songes*. Ma mère, âgée de quatre-vingt-deux ans, était malade à Toulouse et j'avais reçu, le mardi matin, une lettre du 13. par laquelle la religieuse qui prenait soin d'elle, me priait de « venir le plus tôt possible ». Je n'avais pu manquer de penser à cette lettre durant la journée et c'est ce qui apparemment m'avait inspiré le rêve de la nuit. « Le plus tôt possible » : qu'était-ce à dire ? Il y avait un bon mois que j'avais fixé au 20 la date de mon départ. Il faut croire qu'elle avait été bien calculée, car je ne me voyais pas, jusque-là, le moindre répit : des travaux littéraires que j'avais à terminer, des travaux matériels que l'on devait faire dans mon appartement, c'était plus qu'il ne fallait pour occuper les quelques jours qui me séparaient de cette date. L'idée m'agaçait que l'on conspirât à m'en priver, au nom de dangers que je réputais imaginaires.

Le 12 décembre, ma mère elle-même m'avait écrit qu'elle allait mieux. Depuis lors, il est vrai, elle ne m'avait plus écrit : j'étais tenu au courant de son état, non seulement par les religieuses de sa maison de retraite, mais par mes cousins Laurens, qui habitaient dans le quartier et la visitaient régulièrement. C'est d'ailleurs dans les légères contradictions des uns et des autres, que j'avais cherché de quoi me rassurer : ils m'avaient tour à tour tranquillisé et alarmé, prié d'avancer mon voyage et de ne pas l'avancer. Je comprenais qu'ils voulaient s'épargner la responsabilité de ne pas m'avoir assez averti; mais je ne doutais pas que ma chère maman ne fût d'accord avec son fils pour se moquer de leurs craintes. Bien mieux : si elle m'avait appelé elle-même, je n'aurais évidemment plus différé de partir, mais c'eût été avec la conviction qu'elle exagérait ses propres craintes. Chaque hiver, depuis six ans, elle avait une crise qui mettait sa vie en dan-

6

ger : ou bien elle prenait froid et une pneumonie se déclarait, ou bien c'étaient de graves étouffements, effets de sa maladie de cœur. À la première de ces crises, lorsqu'après la mort de mon père, nous habitions le vieil hôtel de la rue des Fleurs à Toulouse, le médecin qui était venu la soigner avait cru devoir me dire qu'elle n'irait pas loin. Elle était allée jusqu'à l'hiver suivant, où elle avait eu, de nouveau, une crise et où le médecin me répéta la même chose. L'hiver d'après – j'avais regagné Paris – elle fut, loin de moi, aussi malade et se remit aussi bien; elle avait pourtant, dans un escalier, fait une chute qui aurait pu être mortelle. L'hiver 1944, qu'elle passa à Nîmes, comme celui de 1945, faillit également lui être fatal. Je venais de la quitter, la laissant un peu grippée, et me trouvais dans les environs, quand on me rappela d'urgence : son état s'était brusquement aggravé et le médecin de Nîmes n'était pas moins pessimiste que le médecin de Toulouse. Elle me réclamait. Je la rejoignis sur l'heure. Tout péril était déjà écarté.

Est-ce qu'aujourd'hui, le péril était réellement plus grand ? Certes, il y avait une année de plus sur la chère tête blanche; mais quatre ou cinq jours de plus ou de moins pouvaient-ils entrer en ligne de compte ? Les détails mêmes que me donnaient les correspondants contribuaient à modérer mes inquiétudes. On m'avait écrit qu'elle s'affaiblissait, mais on m'avait remercié, de sa part, des gâteries que je lui avais envoyées pour Noël et qui, me

7

disait-on, avaient été « bien appréciées ». On m'avait écrit que sa pneumonie était grave, puis, qu'elle en était remise. On m'avait écrit que, paralysée des membres inférieurs, elle devait rester couchée, mais je me souvenais de vieillards cloués au lit pendant des années, et cette paralysie me semblait une promesse de durée, comme sa maladie cardiaque. Sœur Marie du Rosaire, sa fidèle garde, m'écrivait, fin décembre : « C'est là le résultat de son grand âge et de sa marche ascendante vers l'éternité. » Cette marche, me disais-je, sera encore longue, et ma chère maman me souhaitera longtemps encore cette fête de saint Roger que la sœur m'avait souhaitée de sa part. Dans la lettre suivante – la lettre du 13 janvier – où l'on m'incitait à « venir le plus tôt possible », on me demandait l'autorisation d'acheter une chaise-longue, pour la garde de nuit : m'aurait-on fait cette demande, si une issue tragique eût été vraiment proche ?

En relisant ce matin toutes ces lettres, je ne pouvais m'empêcher de sourire au passage qui concernait la chaise-longue : « une chaise-longue confortable », précisait la bonne religieuse, qui évoquait ainsi les traditions douillettes de ces admirables maisons. Elle ajoutait : « Les réquisitions et vols divers nous ont malheureusement dépouillées de bien des choses et nous mettent dans la pénible nécessité de vous présenter cette requête. » (L'immeuble avait été occupé successivement par la Gestapo et par la Préfecture, et s'était ressenti de ces occupations.) J'avais répondu, courrier par courrier, que l'on achetât la chaise-longue. Mon empressement pour les intérêts matériels compensait, à mes yeux, ma négligence sur les intérêts moraux. Il me semblait que la chaise-longue me donnait droit à ces quelques jours qui m'étaient nécessaires. Plus le temps passait, plus les minutes de ces jours-là me paraissaient comptées : je ne jugeais pas possible que celles de ma mère fussent également comptées.

Cette assurance venait de la foi que j'avais dans sa foi, de mon admiration pour son existence pure et droite. Qui surmonterait les épreuves de la nature, si elle ne les surmontait ? À quoi serviraient toutes les vertus physiques et morales, si ce n'était à promettre une longue vieillesse ? Ma vieille maman, petite, chétive et voûtée par l'âge, ne devait que mieux échapper aux investigations de la mort.

Belle tendresse d'un fils qui raisonnait tant ! Mais il avait à cela une excuse : le fait même que sa mère et lui avaient été presque toujours séparés, qu'elle s'était toujours plu à lui manifester son affection en lui laissant une entière indépendance, qu'elle n'avait pas voulu le suivre à Paris « de peur de lui compliquer la vie ». Est-ce la faute des enfants, s'ils deviennent égoïstes, quand ils ont une mère qui n'a cessé de se sacrifier pour eux ?

Mais pouvais-je me croire tellement égoïste, en défendant ces malheureux jours qui restaient à courir jusqu'au 20 ? En pensée, j'associais maman à ces travaux littéraires, dont le succès lui était si cher qu'elle les recommandait de temps en temps aux prières des sœurs. Ce n'est guère qu'en pensée qu'elle-même les suivait : depuis deux ou trois ans, la lecture la fatiguait et elle se bornait à écrire des lettres. Elle avait renoncé à son cher journal *La Croix* : il l'ennuyait de se faire lire des nouvelles, aussi bien que toute autre chose en français. Elle aimait, en revanche, qu'on lui lût les Évangiles en latin. Je ne sais si la musique de cette langue la berçait ou si elle se croyait, par ce moyen, plus près du texte ou si elle avait encore l'illusion de comprendre le latin. La sœur Simplice des *Misérables* ne le comprenait pas, mais elle comprenait le Livre : maman ne comprenait plus le latin, mais elle comprenait toujours le Livre.

Je lui avais lu certains passages des *Amitiés particulières*, de nature à lui prouver que la presse catholique avait eu bien tort de s'indigner. D'ailleurs, ne me tenait-elle pas justifié à l'égard même de cette presse, puisque j'avais eu, au prix Renaudot, la voix de Luc Estang, critique littéraire de *La Croix* ? Pouvait-elle, enfin, avoir en suspicion un livre écrit presque sous ses yeux et qui faisait revivre mon enfance ? Quant aux autres ouvrages que je préparais, ils lui semblaient aussi familiers, parce qu'elle en connaissait les grandes lignes : *Mademoiselle de Murville* évoquait telles silhouettes ou tel château dont je lui avais parlé; *l'Oracle*, la Grèce où j'avais vécu. Ces temps-ci, je m'employais à mettre au point ces deux textes, le premier pour sa publication dans *Le*

Figaro littéraire, le second pour une nouvelle dactylographie. Et je voulais partir quitte sur ce point, afin de pouvoir demeurer plus long-temps à Toulouse.

Les travaux que l'on devait effectuer chez moi auraient pu attendre; mais il n'y avait aucun motif de les remettre, puisque d'autres raisons me retenaient. Quels travaux, juste ciel ! Des travaux de peinture ! Mais là aussi, il me semblait obéir à une sorte d'injonction de ma chère maman : comme je lui avais dit que des fuites à une terrasse avaient creusé des trous dans mes plafonds, elle me demandait, à chacune de mes visites, si je ne les avais pas fait boucher. J'avais beau lui dire que, depuis la guerre, on se montrait moins difficile sur l'entretien des appartements, ces trous au plafond lui paraissaient une chose pitoyable. Ce n'est, du reste, que pour moi qu'elle-même se montrait difficile; pour elle, tout était égal : elle s'accommodait de tout et ne récriminait jamais. Elle avait passé indifféremment de notre calme et beau décor de Toulouse au tohu-bohu des amis chargés d'enfants qui l'avaient invitée à Nîmes, comme elle était passée à la simplicité austère de son dernier asile toulousain. Cette fois, je pourrais enfin lui annoncer qu'il n'y avait plus de trous au plafond.

Je déjeunai, ce jour-là, avec mon ami Houssaye, qui avait bien connu ma mère. Sachant que j'étais inquiet de sa santé, il me demanda si j'avais de ses nouvelles. Je lui fis part de celles que j'avais reçues et, à cette occasion, lui racontai mon rêve. L'air dont il me regarda me surprit :

– Mais c'est très grave ! me dit-il, après une espèce d'hésitation.

– Je le sais bien, hélas ! Mais tu sais aussi que ma mère n'est pas à sa première épreuve. Les vieillards ont une vitalité inconnue.

– Je ne te parle pas des nouvelles : je te parle du rêve. Nous nous sommes toujours promis de nous dire la vérité; permets-moi donc de t'avertir que ton rêve a un sens terrible, en théosophie : il est une prémonition de la mort.

J'avais oublié que mon interlocuteur était fort versé en théosophie. À vrai dire, je n'avais jamais pris au sérieux sa science de fraîche date et n'y voyais qu'un jeu de son esprit, succédant à d'autres. Il m'avait entrepris maintes fois à ce sujet, mais, comme dans toutes les discussions de ce genre, il nous avait été malaisé de nous mettre d'accord : la foi et l'incrédulité sont des pétitions de principe; elles donnent l'une et l'autre, aux mêmes mots, aux mêmes faits, une interprétation satisfaisante.

– Je comprends ton émoi, dis-je, et j'en suis touché. J'ai été ému avant toi par ce rêve et le suis encore tant soit peu, à preuve que je te l'ai conté. Mais je l'estime et l'estimerai toujours, quoi qu'il arrive, tout à fait naturel. Ce n'est même pas l'effet *d'une sombre vapeur*, comme le songe d'Athalie. Depuis trois semaines, je pense beaucoup à l'état de ma mère, sans vouloir croire qu'il soit réellement critique; sinon, je serais parti. La lettre d'hier m'a donné davantage à penser; d'où mon rêve.

– Ton rêve n'est pas un rêve : c'est un ordre, un signe infaillible. L'exemple est classique dans les livres des théosophes. Il faut bien que cela tienne à quelque chose de vrai : on n'aurait eu aucune raison de l'inventer. Ta mère, son corps astral séparé un instant de son corps physique, est venue t'appeler.

– Tu me ferais sourire, si le sujet y prêtait.

Avec une insistance qui faisait l'éloge de son amitié, H. cherchait à me convaincre. Il se disait obligé envers ma mère, autant qu'envers moi, à me traduire ce qu'il nommait « son dernier message ». Les conseils prirent le ton de confidences :

– Admirable chose que la destinée ! Tout y est noué par une main mystérieuse; aucun fil n'y est jamais rompu, même par la mort. Lorsque j'ai perdu tour à tour ma sœur et mon père, j'étais chez toi à Toulouse et tu te souviens de mon désespoir : mon père surtout représentait pour moi toute ma vie, mon passé et mon avenir, puisque j'avais perdu ma mère depuis bien longtemps. À ce moment-là, tu es parti pour un voyage, me laissant seul avec ta mère. Je puis te le dire aujourd'hui : la vie m'était devenue tellement odieuse que j'ai songé à la quitter. Je serais parti pour aller quelque part sur la côte me jeter dans la mer, ce qui a toujours été mon rêve à moi – la mer, notre mère à tous ! – et tu aurais eu la surprise de ne plus me trouver chez toi, de ne plus entendre parler de moi. Or, le jour même où j'allais lui faire mes adieux, ta vieille maman, comme si elle me devinait plus triste que de coutume, sut trouver tout à coup les mots qu'il fallait pour m'arrêter. Ce fut un miracle, dont elle ne s'est jamais doutée : elle m'a sauvé et en reçoit maintenant la récompense. Un hasard, qui n'est pas plus un hasard que ton rêve n'est qu'un rêve, m'a mis dès aujourd'hui sur ta route, afin d'être son interprète.

Autant que mon ami H. admirait le hasard ou l'absence de hasard, j'admirais, en l'écoutant, la force implacable avec laquelle mon esprit refusait de se rendre. Je n'étais pas moins troublé de ses paroles, qui résonnaient profondément dans mon cœur. Mais il me paraissait impossible d'y voir autre chose que des vérités sentimentales qui ne m'apprenaient rien. La théosophie ne me paraissait pas plus une science exacte que la théologie. Pour lutter contre un attendrissement inutile et même absurde, je me fis ironique :

— Tu es gentil d'avoir avec maman ces bons procédés à titre d'échange. Je lui suis reconnaissant de t'avoir conservé à mon amitié, mais c'est sans doute que notre amitié ne saurait être qu'immortelle. Les amitiés sont immortelles, mais les personnes ne le sont pas, surtout quand elles sont octogénaires. Je n'aurais donc pas eu besoin de rêve pour craindre au sujet de ma mère, comme il se peut que j'aie rêvé que tu mourais et ne te l'aie même pas dit.

– Je me demande d'où te vient cette rage de faire l'esprit fort ? Toi qui ne jures que par les anciens, oublies-tu qu'il n'est question chez eux que de songes ?

– Je ne jure que par les anciens, mais ma mère, qui n'a d'ailleurs jamais juré de sa vie, n'a rien à voir avec leur religion; c'est, tu ne l'ignores pas, la plus pieuse des femmes. Il me semblerait lui faire outrage que de la changer en héroïne de tragédie. Jupiter ne s'est pas réveillé de son long sommeil pour m'envoyer un songe avertisseur par la porte de corne.

– Les songes sont de toutes les religions : il y en a dans la Bible, comme dans l'Évangile.

– Dans l'Évangile ?

– Mais oui : le songe de saint Joseph, le songe de la femme de Pilate, ce qui, du reste, ne laisse pas d'embarrasser les théologiens.

– Cela fait partie des douceurs de l'Évangile. Il n'eût pas été juste que toute la poésie des hommes et, c'est le cas de le dire, tous leurs rêves, fussent le privilège de la religion antique.

– Ne nous occupons pas de celle-ci, veux-tu ? Je te prêterai des livres, où sont consignées des centaines de cas de prescience, apparitions et avertissements de tout ordre, incontestablement observés.

Les présages, les songes,
Ne sont pas des mensonges,

chante-t-on dans *la Mascotte*. En somme, rien de moins matérialiste qu'une opérette.

— Si Émile Zola n'avait pas été matérialiste, il aurait fait cas de ce rêve familier, où il se voyait mourir dans un hôtel en flammes, et il n'y serait peut-être pas mort, asphyxié par un feu de bois. Le matérialisme n'est plus qu'une théorie politique; la science et la philosophie l'ont déserté. L'existence du surnaturel a fait aujourd'hui ses preuves : des médiums ont évoqué des ombres, dont on a pris les photographies, dans des conditions telles que toute charlatanerie était exclue, et cela, en présence de philosophes et de savants d'un rationalisme solide, comme Bergson et Pierre Curie. C'est être assez en retard de nier ce qu'ils ont reconnu — c'est être plus en retard que ne l'étaient les anciens, puisqu'ils reconnaissaient eux-mêmes des faits de ce genre : ta religion — ton irréligion — se perd dans la nuit des temps.

— Je ne nie pas que les théosophes ne voient et que des philosophes n'aient cru voir : ils voient au-dehors les images de leur esprit, mais si leur esprit n'existait pas, ces images n'existeraient pas non plus. C'est l'esprit qui voit les esprits.

— Mais qu'a donc vu le photographe ?

— On photographie les sons : pourquoi ne photographierait-on pas les idées ? Un médecin, nommé Baraduc, a photographié les prières de Lourdes — les fluides produits par les prières et qui expliquent peut-être les miracles. Ce médecin, qui était bien-pensant, voulait prouver que les fluides venaient d'en haut, c'est-à-dire que les prières mettaient la foule en communication avec le surnaturel. Mais les incrédules y virent, au contraire, la preuve que les fluides venaient d'en bas.

– Et lesquels ont raison, s'il te plaît ?

– Tous, incontestablement. On fera un jour des clichés de ton corps astral, comme on en fait de ton corps physique : nous aurons des « métaphotographies », comme nous avons des photographies et des radiographies. Cela prouvera aux croyants qu'il faut croire et aux incroyants qu'il ne le faut pas.

– Il y a autre chose que ces plaisanteries : selon les théosophes, on doit rendre compte de ses rêves; dans la vie future, tu rendras compte du tien. L'oracle de Delphes contrôlait, non seulement les actions, mais les pensées. Du moment que j'ai été l'interprète de ton rêve – de l'oracle – tu seras sans excuse devant tes propres dieux.

– Plus tu invoques d'autorités, plus tu me rends sceptique. En prétendant que je sois responsable de mes rêves, tu me fais aimer les confesseurs de mon enfance : ils avaient l'humanité de me tenir innocent des péchés délicieux que je leur disais avoir commis en rêve.

– Je te félicite de te souvenir de ces rêves-là, quand nous parlons de cet autre !

– À vrai dire, ceux-là étaient à peine des rêves, tant ils avaient de réalité; je suis moins convaincu de la réalité de celui-ci.

– Incontestablement, tu as quelque mérite à soutenir ce ton, quand il y va de la vie de ta mère, — de l'effort suprême que sa vie fait vers toi.

— Ah ! finissons-en avec cette histoire de rêve. Ce que tu nommes une prémonition, est simplement un souvenir. Lorsqu'au mois de septembre, j'eus ramené maman de Nîmes à Toulouse et l'eus installée chez les sœurs dominicaines, je l'accompagnais de temps en temps au Jardin Royal et nous nous asseyions sur un banc. Un jour, je la laissai pour faire une course et, quand je revins, je fus surpris de la voir de loin toute petite, sur son banc, comme si la perspective l'avait rapprochée de la terre.

— Était-ce un banc de pierre ou un banc de bois ?

— Elle ne s'asseyait jamais sur les bancs de pierre.

— Si ton rêve n'est qu'un souvenir, n'es-tu pas frappé qu'il y ait eu substitution de la pierre au bois ?

— Je t'en prie ! Tu ne réussis qu'à m'inquiéter à l'égard de mon corps physique. La médecine chinoise, que l'on imaginerait plus réaliste, explique tous les rêves de la façon que les médecins de Molière expliquaient les maladies : si l'on rêve d'arbres et de gazons, c'est le foie; si l'on rêve de pierres et de rochers, c'est la rate. Pour le banc de pierre, il ne me reste qu'à consulter un médecin.

— Je parie que tu te sentirais un peu malade, si, en rentrant chez toi, tu trouvais un télégramme de Toulouse.

— Atossa, reine des Perses, reçut l'annonce

du désastre, au moment où elle racontait le songe qui le lui avait prédit.

– Je suppose qu'à partir de ce jour-là, elle a cru aux songes, si elle n'y croyait auparavant.

– Je crois au hasard.

– Croire au hasard ou croire aux songes, l'un vaut l'autre. Croire aux songes offre au moins l'avantage de se mettre en paix avec sa conscience.

Ce même jour, je dînais avec mon ami Montherlant(1). Malgré mon prétendu enjouement, la conversation que j'avais eue à déjeuner m'avait assombri les idées et j'avais hâte de les éclaircir. Au vrai, je n'étais pas tellement sûr que mon commensal fût bien désigné pour me rendre ce service. Alors qu'il prône la joie de vivre, M. est pessimiste de nature. Mais, jusque dans son pessimisme, il y a une espèce de force qui conduit à la joie par la rage. On emporte, en le quittant, un esprit plus allègre et un cœur plus endurci.

Je lui parlai des lettres alarmantes que j'avais reçues, de mon rêve et des commentaires que H. m'en avait faits. Je lui demandai ce qu'il pensait de tout cela.

Il fut d'abord très affecté, car il est sensible à ses heures, mais les pointes et les piquants ne tardèrent pas à reparaître, sans doute pour mieux venger cette goutte de lait – « le lait de la tendresse humaine » – échappée du cactus :

(1) Il me semble que j'étais l'ami de Montherlant, en ce temps-là. Il me semble que je ne le suis plus. Il se peut que je le redevienne.

— Ce que je pense ? Qu'indépendamment de tous les rêves et de tous les commentaires, votre mère va mourir. Cela se sent, je ne saurais dire à quoi : elle a quatre-vingt-deux ans, elle est depuis un mois dans son lit, elle n'en sortira plus. Vous avez beau vous retrancher derrière une histoire de chaise-longue et le souvenir des autres épreuves qu'elle a traversées, vous comprenez bien que cette épreuve-ci est la dernière et que la chaise-longue ne remplira pas longtemps son office.

— Donc, si vous étiez à ma place, vous seriez parti dès ce soir.

— Je ne dis pas cela ! Je dis que votre mère approche de sa fin et qu'il vous appartient de prendre vos dispositions en conséquence. De toute éternité, votre départ était fixé au 20 : ne le différez pas un jour de plus, au moins dans le cas où vous tenez à observer jusqu'au bout vos devoirs de fils.

— Autrement dit, ces devoirs ne vous semblent pas un impératif très catégorique ?

— Je ne reconnais aucun devoir, hors celui du libre arbitre.

— Dans le cas présent, votre cynisme m'étonne, peut-être parce que je ne sais s'il est sincère.

— Depuis plus de dix ans, nous passons notre temps à nous demander et à nous donner des conseils; je ne me souviens pas que nous en ayons jamais suivi un seul. Vous avez l'air de vouloir me faire dire que vous vous devez de partir pour Toulouse « le plus tôt possible », comme vous en presse la sainte fille de Dieu qui veille sur votre sainte mère. Que je vous engage à partir et vous ne partirez pas; de même, H. vous ayant fait entendre des discours idéalistes, je vous ferai entendre des discours réalistes. Qui sait si, de cette façon, je ne vous inspirerai pas un élan d'idéalisme, de charité ?

– On croirait que je me désintéresse du sort de ma mère ! Je vous ai dit que j'avais mille raisons de ne partir que le 20, et de douter qu'une issue fatale se produise d'ici là. Je me bute à cette idée qu'il y a, dans cette affaire, une tracasserie du destin, à laquelle je ne dois pas céder. Le 20, c'est lundi prochain – dans quatre jours. Je ne demande que quatre jours.

– Vous devenez pathétique : « Encore un moment, monsieur le bourreau ! »

– On vous a dit souvent que vos plaisanteries ne brillaient pas toujours par le bon goût.

– On vous répétera souvent que l'on verra toujours en vous l'élève des bons pères : vous avez l'art de vous blanchir aux dépens d'autrui. Mais partageons les responsabilités, plutôt que de nous faire des reproches : si vous n'étiez pas homme de lettres, si vous n'aviez pas été élève des pères, vous seriez parti au reçu de la lettre d'hier et vous n'auriez pas employé tout ce jour à raconter et à méditer votre rêve.

– Beau résultat, en somme, de l'éducation que nous ont fait donner nos parents ! Que reste-t-il de la mienne ? À peine deux choses, qui ne vous restent même plus de la vôtre : une croix dans ma chambre, et encore vous a-t-elle fait froncer le sourcil, comme une marque de faiblesse, bien que ce fût une croix de collection; l'habitude de ne pas faire gras le vendredi saint, au lieu que vous vous rangez avec affectation, ce jour-là, dans la catégorie de ceux que Veuillot nommait « les libres-mangeurs ».

— « Mangez du veau et soyez chrétien », disait un autre. Moi, je vous dis : ne me montrez ni croix ni pile, ni gras ni maigre, mais montrez-moi votre beau cœur de fils.

— Vous m'avez avoué que vous n'aviez guère aimé votre mère, peut-être parce qu'elle avait vite perdu ses illusions sur vous. Elle cherchait à briser ou à troubler vos liaisons de jeunesse; vous la rencontriez sur des chemins où vous ne désiriez pas la trouver; enfin, son existence mondaine et parisienne l'empêchait de vivre uniquement pour vous. Mais si vous aviez connu ma mère à moi, vous auriez su ce que c'est qu'une mère : une femme dont vous avez été toute la vie. Ici, plus de soupçons, plus d'entraves, plus de mondanités : une de ces existences provinciales, qui semblent s'être entourées de lierre, en vue de mieux garder l'image du fils toujours absent.

— Vous m'attendrissez, en me parlant de l'amour que votre mère a pour vous, mais vous ne m'avez pas encore prouvé d'une manière décisive celui que vous avez pour elle. Parmi toutes les choses étranges que nous nous signalons, je retiendrai celle-ci, en la mettant à votre compte : qu'un fils, chéri et chérissant, se demande s'il doit aller ou non recueillir le dernier souffle de sa mère agonisante.

– Vous me faites horreur et, à cause de vous, je me fais horreur à moi-même. Mais s'il y a, dans mon comportement, un mélange de légèreté et d'égoïsme, il y a surtout un excès de confiance – il n'y a pas ce péché contre l'esprit, contre le cœur et contre la lumière, dans lequel vous vous complaisez. Vous me croyez l'âme bien noire :

Le jour n'est pas plus pur que le fond de mon cœur.

– Non seulement il fait nuit, mais le temps est à la pluie. Mais quelle que soit la limpidité de votre cœur, vous avez de la chance : vous allez perdre votre mère à un moment où vous êtes capable à la fois d'en souffrir et d'en jouir (d'en jouir atrocement), en un mot, de le comprendre. Moi, j'ai perdu la mienne sottement : j'étais trop jeune. Je me suis cru délivré d'une présence obsédante et j'ai manqué l'une des grandes dates de la vie : la mort d'une mère.

– Vous vous êtes rattrapé sans doute en lisant la poésie de Lamartine : *Le Tombeau d'une mère*.

– Non, j'étais alors dans la prose. Je ne vous cacherai même pas que je n'ai qu'un souvenir très vague de la cérémonie. Mais je n'ai pas oublié que, deux jours auparavant, envoyé à la recherche d'une infirmière, je ne m'en occupai qu'après avoir consacré plusieurs heures à un rendez-vous galant et, du reste, ne trouvai pas d'infirmière. *Abyssus est cor*.

Comme je le regardai avec stupeur, il poursuivit :

– Attention ! ne criez pas au monstre ou je crie aussi. Nos deux cas sont identiques, bien que les apparences ne le soient pas : j'ai fait autrement que je ne devais faire et vous faites de même. J'avais une excuse, comme vous en avez une : je ne pensais pas que ma mère allait mourir le surlendemain, comme vous ne pensez pas que la vôtre soit en train de mourir.

– Voyez votre justice : vous accusez, au nom d'un événement passé, mon attitude présente à l'égard d'un événement à venir ! Si j'ai l'art de m'innocenter aux dépens d'autrui, vous avez l'art d'envelopper autrui dans vos propres condamnations.

– À l'âge que j'avais, il m'était permis de ne pas croire à la mort; mais à votre âge, vous savez qu'elle existe. Loin d'être moins grave que le mien, votre cas est plus grave. À présent, ce n'est pas l'élève des bons pères que je retrouve en vous : c'est le diplomate. Vous tenez de votre ancienne carrière l'habitude de ne pas voir les réalités : à la veille de la guerre, vous m'annonciez la paix; à la veille de la défaite, vous m'annonciez la victoire.

– C'est que j'ai plus de foi que vous, qui me jugez sceptique. Il me reste encore quelque chose des principes que ma mère m'a donnés : sinon la foi en Dieu, du moins la foi en quelque chose.

– La foi, l'espérance et la charité : vous cultivez les vertus théologales. Mais la façon toute détachée dont vous les cultivez, fait honneur maintenant, non plus au collégien ou au diplomate, mais à l'homme de lettres. Même si vous vous reconnaissez coupable en vous rendant à la réalité, vous ne vous en donnez que le spectacle; vous en faites matière à discussions; vous y voyez un sujet d'émotions académiques; vous vous fiez à votre étoile, au lieu de vous fier à votre cœur.

— Si la littérature n'était que cela, vous me la feriez détester.

— Elle est cela et elle est autre chose; mais elle est toujours composée de mots. Je crains fort que ces sentiments sur lesquels on s'exalte ne soient que des mots, sentiment filial et sentiment maternel y compris.

— Faisons litière de tous les sentiments, sauf de ceux qui concernent les seuls êtres que nous ne puissions remplacer !

— Vous avez pratiqué Gide et autres seigneurs, tous contempteurs de la famille (« Famille, je vous hais ! ») et l'on dirait que vous n'avez pratiqué que Lamartine.

— Je ne voudrais pas avoir des fils ni des filles qui n'eussent pratiqué que M.

— Ne nous disons pas trop d'insolences : ce serait dommage de nous fâcher, à propos de l'amour filial. Mais pourquoi ne nous fâcherions-nous pas, puisque tous les êtres se remplacent ? Je vous accorde qu'au pied de la lettre, on ne remplace pas ses père et mère, mais on les oublie, ce qui revient au même.

— J'ai entendu Billy, Dorgelès, dire qu'ils pensaient vingt fois par jour à leurs mères, mortes depuis de longues années.

— Vingt fois, vraiment ? Quel exercice ! Mais

je ne savais pas que la mère « se portât », à l'Académie Goncourt; je la croyais réservée à l'Académie française, comme les prix de vertu. Voyons, un peu de franchise : combien de fois par jour pensez-vous à votre père, mort depuis six ans ? Vous vivez exactement comme s'il vivait encore ou comme si vous ne l'aviez jamais connu. Vous prétendez, il est vrai, préférer votre mère à votre père; mais quand elle ne vivra plus, vous ne continuerez pas moins de vivre. Votre mère rejoindra votre père dans « l'abîme de votre cœur », c'est-à-dire de votre oubli. Depuis que le monde est monde, tout le monde s'est toujours consolé. Le chagrin est comme la maladie : sitôt guéri, on a peine à s'imaginer qu'on ait été malade.

— Il y a des maladies qui laissent des traces.

— Le chagrin n'en laisse aucune; sinon, ce n'est plus un chagrin : c'est une maladie. Il n'y a pas de chagrin qui tienne plus de deux ans. Votre chagrin, si vous perdez votre mère, aura ce double terme : deux ans ou deux mois. Rien de moins, mais rien de plus. Cela devrait vous rassurer.

— Je vous remercie et vous félicite. La consultation est digne de vous, le romancier des grands sentiments.

— Les sentiments se mettent dans les livres. Dans la vie, je ne connais que les sensations : elles suffisent à mon bonheur.

— Entre l'ange et la bête, vous n'hésitez pas ! Mais cela vous est un peu particulier. Pour le reste des hommes, la civilisation a toujours consisté à faire passer l'ange avant la bête.

– Mais moi aussi, je veux des anges, des anges en chair et en os ! Les anges n'ont pas besoin de mères. Malheureusement, notre époque honore les mères et non les anges.

– Toutes les époques ont honoré les mères. Les Crétois, pour renforcer l'idée de patrie, disaient la *matrie*. Socrate prônait l'amour des mères.

– Avouez que l'amour crétois et l'amour socratique ne sont pas de réputation extrêmement maternelle. Non, l'antiquité avait une civilisation par trop masculine. La mère était alors, pour ainsi dire, ignorée de l'état civil. On n'inscrivait – sur la pierre ou sur le marbre – que le nom du père : « Alexandre, fils de Philippe », et non pas « fils d'Olympias ».

– Théocrite nous a conservé le nom de sa mère.

– Mais Horace, qui nous parle longuement de son père, ne nous dit rien de la sienne. Dans l'art de ces époques, Vénus et l'Amour sont à peu près seuls à figurer la mère et l'enfant. Dans la littérature, la mère exprime volontiers ses sentiments, mais si Socrate nous parle de ceux qu'elle doit inspirer, personne ne dit un traître mot sur ceux qu'elle inspire. L'Antigone de Sophocle, symbole de la piété filiale, ne se dévoue que pour son père. L'Oreste d'Euripide s'excuse d'immoler sa mère, en disant que le père est le vrai auteur de notre existence. Indépendamment de ces gentillesses plus ou moins historiques, nous avons, en grec et en latin, des *Consolations* célèbres : elles visent la mort d'un oiseau, d'un ami, d'un fils, d'une fille, d'un père – jamais d'une mère.

– L'enfant qui sourit à sa mère, est dans Virgile.

– Il souriait à sa nourrice.

– Cléobis et Biton...

– Cléobis et Biton ?

– C'étaient deux frères qui furent honorés à Argos, en raison de leur piété pour leur mère.

– Preuve que le cas était rare.

– Amphinomus et Anapas...

– N'abusez pas de ma bonne foi, en inventant des noms grecs.

– Deux frères qui furent honorés à Catane, pour avoir sauvé leurs père et mère des laves de l'Etna.

– Des héros si obscurs sont peu flatteurs à votre cause. Mais que dis-je ? Elle ne compte même pas Jésus-Christ ! Il tenait de son temps un mépris superbe pour l'être à qui l'on doit le jour. « Femme, qu'y a-t-il de commun entre vous et moi ? » est un mot terrible, que Flaubert déclarait « plus beau que tous les mots vantés dans les Histoires ». Il l'appelait « la protestation du cerveau ». Les chrétiens ont inventé le culte de la mère, en inventant celui de la Sainte Vierge. Et tout cela a abouti au dogme de l'Immaculée Conception, dans lequel ce même Flaubert résumait la vie sentimentale du XIXᵉ siècle : « Autant de choses, disait-il, qui feront pouffer les générations futures. »

– Avec sa manie d'« espovanter le borgeois », Flaubert n'est pas un exemple concluant.

– Voyons un peu vos chers classiques. Ils ont été aussi aveugles pour leurs mères que les anciens. Ils semblaient « androgènes » et néanmoins, la femme jouait déjà un grand rôle dans la société. Il y a, chez Voltaire, un passage qui fait écho à ce que je disais des *Consolations* grecques ou latines; c'est à peu près ceci, justement à propos des songes : « Il est arrivé qu'un homme, frappé de la mort de son père, de son frère ou de sa femme, ait vu dans un songe la personne qu'il regrettait. » Il ne fait pas aux mères l'honneur d'être vues en songe. Par conséquent, vous qui êtes non seulement antique, mais classique, ne nous parlez plus de songes où vous voyez votre mère, surtout avant qu'elle soit morte.

– Des civilisations plus anciennes que celles des Grecs et des Romains ont eu d'autres idées de l'amour filial : en Chine et au Japon, le culte de la mère a devancé de quelques millénaires celui du christianisme. Un des premiers livres que l'on donnait aux jeunes Chinois, est intitulé : « Les vingt-quatre exemples de la piété filiale. » Le père Huc cite un trait délicieux dans son *Voyage en Chine*. Un maître d'école, de qui il prenait congé, lui demanda de porter une lettre à sa mère. Il appela un de ses élèves et dit, en lui donnant une feuille de papier : « Écrivez pour moi une lettre à ma mère. » Le missionnaire s'enquit si le jeune garçon la connaissait : celui-ci ignorait jusqu'à l'existence de cette femme. « Mais, dit le maître, croyez-vous qu'il ignore dans quels termes un fils doit écrire à sa mère ? »

— C'est sans doute des mœurs chinoises que s'inspire ce vers parodié de François Coppée :

*Donnez-moi de l'argent, puisque j'aime ma
[mère !*

Autre chose, que je regrette d'avoir à vous dire : l'amour d'un fils pour sa mère a, de nos jours, quand il est excessif, la réputation fâcheuse de l'amour crétois ou socratique. Il est, pour beaucoup d'hommes et de jeunes gens, une compensation au fait de ne pas aimer les femmes.

— Que vous me dégoûtez! Contre de si effroyables paroles, j'en appelle à tous les fils, comme une mère en appela jadis à toutes les mères.

— Ne me faites pas rire. Mais, puisque vous le voulez, je pavoiserai dorénavant pour « la fête des mères ». Toutefois, je trouve que l'on fait bon marché des pères, à qui l'on n'a pas l'air de penser.

— Protestez au nom des pères, mais pas des bons pères, puisque la mère est née du christianisme.

— Il faudrait des fêtes pour tous : « la fête des frères », la « fête des sœurs », « la fête des oncles », et, bien sûr, « la fête des tantes » ! Mais cela viendra.

Ma nuit fut paisible : je ne rêvai ni à mon ami le théosophe ni à mon ami l'athée. Je fus surtout satisfait de ne pas avoir rêvé à ma mère : Jupiter n'avait pas renouvelé les avertissements d'un songe.

Néanmoins, dans cette espèce de lutte avec la fortune – ou plutôt dans ce défi que je lui jetai – mon esprit était toujours occupé par l'appréhension d'un télégramme. C'était, celui-là, le véritable avertissement que j'attendais.

Un coup de sonnette matinal me parut de mauvais augure; ce n'était pas le télégraphiste : c'étaient les peintres. Je fus sur le point de les renvoyer. Était-il raisonnable de commencer des travaux que mon départ risquait d'interrompre ? Mais c'est hier que j'aurais dû les faire remettre. Désormais, il n'y avait qu'à s'en rapporter au destin, en espérant le conjurer. L'arrivée de ces ouvriers prenait un aspect fatal ou fatidique. Elle me confirmait dans ma résolution de ne pas hâter mon voyage.

Il fallut veiller au déplacement des objets et des meubles. Les échelles furent dressées, des toiles furent tendues, et mes peintres commencèrent à gratter les plafonds. L'un d'eux peignait déjà les ferrures d'une porte : le bruit flasque du pinceau, mêlé au crissement du grattage, accompagnait mes pensées, tandis que je faisais ma toilette.

Peu avant midi, le patron arriva à son tour, pour inspecter le chantier.

– J'espère bien, lui dis-je, que tout sera fini le 20 : je pars ce soir-là.

– Excusez-moi : je vous avais dit que trois ou quatre jours suffiraient, mais, d'après ce que je vois, il en faudra au moins cinq ou six.

Le destin continuait sa marche impassible : je me décidai à marcher avec lui. Il me rendait plus confiant sur les événements qui se déroulaient loin de moi; sans cesser d'y songer, je cessais de les craindre. Ces deux jours supplémentaires venaient à propos : j'aurais le loisir de terminer la révision de *l'Oracle*, qui s'avérait plus longue que je n'avais cru. Ma conscience était en paix : je n'avais pas reçu le télégramme.

Bien mieux, c'est moi qui allais télégraphier. Demain ou après-demain, j'avertirais mes cousins que je n'arriverais que le 22. Si l'état de maman ne me réclamait pas avant le 20, deux jours de plus ne faisaient rien à l'affaire. Je laisserais mon appartement et un ouvrage également en ordre. Je calmais mes scrupules en me disant que le frivole n'avait aucune part dans le nouveau délai. Je resterais cloîtré dans ma chambre, à l'abri des ouvriers : mon travail, qui était d'ordinaire un plaisir, ferait figure de pénitence. J'avais, d'ailleurs, refusé toute invitation, comme je me refusais à toute distraction. Je ne reverrais même pas mes deux amis d'hier; ma seule « sortie » serait un déjeuner offert, demain vendredi, par l'éditeur du dernier lauréat Renaudot, autour de qui étaient conviés les deux ou trois lauréats précédents.

Il était exactement trois heures, lorsqu'on m'apporta un télégramme. Mon ami H. avait-il des dons surnaturels ? Jamais la vue d'un tel message ne m'avait causé une telle émotion. Je me regardai comme un enfant maudit, car je ne doutai pas qu'il ne m'annonçât la mort de ma mère. De toutes les choses que je lui avais promises sans les lui dire, celle de l'assister dans ses derniers moments m'était la plus sacrée : j'étais payé de cette promesse mensongère. Le Dieu qui protégeait maman, le destin auquel je m'étais fié, se déclaraient contre elle et contre moi. Cette pauvre femme, qui n'avait plus que moi au monde, était morte sans m'avoir revu.

J'ouvris le télégramme. Il avait été expédié de Toulouse, à midi, par mon cousin : « Mère très mal. Venez de suite. »

Si accablante que fût cette nouvelle, elle n'était pas celle que j'avais redoutée. Elle ne m'ôtait pas tout espoir; mais elle me prouvait que mon optimisme naïf avait été mal fondé.

Je restai prostré dans ma chambre, songeant à ce que ces mots signifiaient pour moi. Il me fallait donc partir ce soir. Je téléphonai à la gare pour me faire confirmer l'heure du train : « Neuf heures », me dit-on. Je serai à Toulouse demain matin, à sept heures et demie.

Ma décision prise, il me parut qu'il ne m'était pas interdit de la raisonner.

Ne m'étais-je pas décidé un peu vite ? Le télégramme n'était-il pas destiné à presser mon départ, plutôt qu'à le précipiter ? Je suspectais mes cousins de noircir les choses. Bien sûr, ils devaient en avoir assez d'assister une malade; ils m'appelaient à la rescousse. Mais les vraies assistantes, les bonnes religieuses, ne m'avaient pas appelé. Elles étaient certainement plus confiantes et plus calmes, comme devait l'être la chère malade. Mille choses que j'avais à régler, se présentaient à mon esprit, maintenant que chancelait ma décision. Non, il n'était pas possible d'aviser à tout cela en quelques heures. J'avais besoin d'argent et ne me voyais plus le temps de passer à la banque : j'avais perdu, à méditer, des moments précieux. Il n'était plus question d'attendre le 20, ni, cela va sans dire, le 22, mais il ne pouvait être davantage question de partir ce soir.

Le télégramme m'aurait semblé plus déterminant, s'il eût été mieux rédigé : « de suite » m'agaçait. J'étais même humilié que mon cousin ignorât qu'il aurait fallu dire « tout de suite », ou que, le sachant, il eût profité du style télégraphique pour faire l'économie d'un mot. C'était pousser loin le purisme que de lui faire jouer un rôle dans une histoire de mort. Malherbe et Vaugelas moururent, le purisme sur les lèvres, mais on ne nous dit pas qu'ils aient été aussi regardants, à la mort de leur mère.

Il me plut de m'entourer de conseils, mais ayant appelé un ami au téléphone, je compris que ma question paraissait bizarre : n'était-ce pas à moi d'arrêter ce que je devais faire – ce que je devais à ma mère et à mes propres sentiments ? On me retournait, sur l'article du télégramme, les paroles de M. sur l'article du rêve. Je ne poursuivis pas mon enquête de ce côté et j'abandonnai, de même, l'idée de téléphoner à mes cousins, en vue d'obtenir des informations supplémentaires. Je ne voulais pas leur donner l'impression de douter de leur bonne foi ou de chercher une échappatoire.

Cependant, je n'estimai pas inutile d'interroger, en dernier ressort, une dame de mes amies, qui s'occupe de voyance. Elle m'avait fait le thème de mon année astrale, après le 17 août, date de mon anniversaire, et j'avais été frappé qu'elle m'eût prédit un deuil. Me convenait-il d'être moins sceptique en fait de voyance, que je ne l'étais en fait de rêves ou de théosophie ? « Votre mère vit encore, me dit la dame. Vous pouvez ne pas partir aujourd'hui, mais partez sans faute demain. » Je respirai. Je trouvai enfin confirmés mon opinion secrète, mon désir secret : il n'en fallait pas plus pour me faire croire la voyante. Je télégraphiai que j'arriverais samedi matin.

Le soir, mon cœur se serra, quand je vis qu'il était neuf heures : le train qui peut-être aurait dû m'emmener, s'en allait. Je n'avais guère le goût de travailler, bien que ce travail eût tant compté pour moi et que je lui eusse presque sacrifié ma pauvre maman. Je repris cette lettre d'elle, que j'avais relue hier et qui serait probablement la dernière qu'elle m'aurait écrite.

Qui sait si, malgré les illusions que je nourrissais encore, cette chère écriture, « ce portrait vivant », n'était pas déjà le portrait d'une morte ? Les lignes en étaient plus descendantes qu'à l'ordinaire; mais le sombre pressentiment qu'elles donnaient, ne me frappait qu'aujourd'hui. Après chacune de ses crises cardiaques, maman avait eu cette même écriture, qui s'était, peu à peu, redressée; désormais, elle ne remonterait pas cette pente. Certains caractères ont fléchi sous sa plume et elle les a tracés deux fois, mais le style de cette femme de quatre-vingt-deux ans est resté aussi pur qu'il l'avait toujours été. Je retrouve là mieux que son style : son amour, son perpétuel effacement, la sereine acceptation de ses maux, ses délicatesses dans ses moindres demandes, comme dans ses vœux les plus fervents :

« ... *Tes lettres me sont toujours agréables et j'y réponds avec un plaisir toujours nouveau. Il me semble que tu ne m'as pas quittée... J'ai été un peu souffrante et dois garder la chambre; mais ne te tourmente pas à mon sujet. Cependant, il me tarde que tu viennes. Tâche de te décider le mois prochain. Si c'est possible, apporte-moi du chocolat et une petite boîte de biscuits... Adieu, mon chéri. Je t'embrasse avec effusion.*

Le lendemain matin, un de mes vieux amis du Quai d'Orsay me téléphona. Je lui annonçai mon départ et sa triste cause. Il me demanda si j'avais pu avoir une couchette. Cette question, qui me rappelait l'esprit de la Carrière, m'avait d'abord paru irritable, mais je la jugeai ensuite justifiable : elle ne marquait pas le détachement du diplomate, à qui les catastrophes ne feraient pas oublier le souci du confort; elle marquait un souci de principes qui défendent l'homme contre ses propres émotions et qui, en tout cas, ont été, pendant longtemps, la seule défense de la Carrière.

À cette carrière même, ne devais-je pas

inconsciemment le sursis que je m'étais accordé ? C'était une forme de cet optimisme béat que, dans ma personne, lui reprochait M. Pour un diplomate, tout peut attendre, même la mort.

Mon cousin et homonyme, qui m'a succédé au Quai d'Orsay, me téléphone, averti par mon ancien collègue. C'est un garçon sensible, sur qui le métier n'a pas encore déteint; il m'adresse des vœux émus. « Je sais, me dit-il, que vous vous ferez une raison; mais vous ne vous referez pas un cœur. »

À mon tour, je téléphonai à quelques amis. Mes deux commensaux de l'avant-veille me firent remarquer qu'ils avaient été perspicaces.

J'hésitai à me rendre au déjeuner Renaudot. Je m'y résolus enfin : il me fallait bien déjeuner ! Je m'acharnais encore à me rassurer quant à la portée du télégramme, mais je ne pouvais m'empêcher de convenir que la rencontre gastro-littéraire de midi tombait mal. Il n'était pas jusqu'au lieu qui n'eût un air provocant : l'Auberge du Civet.

Avant d'aller à Saint-Germain-des-Prés, où se trouve cette auberge, j'allai prendre mon billet à la gare d'Austerlitz.

Étaient-ce les fumets anticipés de l'Auberge du Civet qui m'avaient fait oublier un instant l'objet de mon voyage ? Au guichet, je cédai à une habitude immorale et demandai un billet de troisième classe. Cela aurait eu sans doute de quoi étonner mon ami du Quai d'Orsay. Pourtant, on parlait autrefois, dans la Carrière, d'un ministre de France, fils d'un ambassadeur illustre, qui voyageait toujours en troisième classe : ce fait était donné tout ensemble comme un exemple de manque de dignité et comme un exemple d'avarice, qui comportait également un manque de scrupule. En effet, le personnage en question voyageait ainsi dans ses déplacements officiels, qui lui étaient payés en première classe; mais *voilà comme on fait les bonnes maisons*. J'aurais conscience de prétendre m'être inspiré de ce collègue, chaque fois qu'il m'est arrivé de voyager en troisième classe, ou bien le Quai d'Orsay s'est trompé, une fois de plus, en prenant pour un avare quelqu'un qui était un voluptueux. Parmi les regrets de ma vie, figure celui de ne pas avoir découvert plus tôt que les plaisirs d'une nuit en troisième classe dépassent de loin ceux d'une nuit en couchette.

J'arrivai fort en retard à l'Auberge du Civet. On n'attendait que moi. La voiture de la radio venait de partir sans m'attendre. Pierre Descaves était furieux : chacun des lauréats devant être présenté sur ondes par un membre du jury, c'est lui qui m'avait pris à son compte et il avait dû rengainer son discours. Je fus tout excusé, lorsque j'eus dit mes raisons, mais je me félicitai d'avoir manqué la cérémonie radiophonique : qu'auraient pensé mes cousins de Toulouse, s'ils avaient entendu ma voix au milieu de ces facéties parisiennes ? Le déjeuner commença. Si je n'étais guère en état de participer à la gaieté générale et de faire extrêmement honneur au déjeuner, il ne m'appartenait pas de rabattre cette gaieté. Je voyais avec quelle facilité, dès qu'ils sont entre eux, les hommes les plus graves redeviennent des enfants : les rires, les plaisanteries, les toasts se succédaient, comme jadis ils avaient retenti de même entre gens de lettres, au Cabaret du Petit Maure ou au Café Procope, qui étaient dans le quartier. Les autres lauréats me pressaient tantôt de m'associer à une déclaration commune, remettant nos couronnes à la disposition du jury, tantôt de fonder avec eux un prix des lauréats, qui supplanterait le prix lui-même. Au dessert, tout le monde était d'accord pour fonder un prix de l'Auberge du Civet qui rivaliserait avec celui du Café des Deux Magots. Maurice Nadeau proposait un prix du marquis de Sade. Souriante et lointaine, telle Minerve égarée chez Trimalcion, Claude-Edmonde Magny présidait.

Rentré chez moi, je fis rapidement ma valise. Je fus embarrassé, en choisissant mes cravates. Il me fallait évidemment prendre des cravates noires; mais, voulant encore ménager la Parque, j'en pris de diverses couleurs. Pour le voyage, je choisis une cravate grise, comme si cela faisait une moyenne, et j'endossai un costume gris. Je n'avais que des cache-col aux tons vifs; il n'était plus temps d'en acheter un autre.

Chaque fois que j'allais voir maman, je lui apportais des douceurs. Elle savait que je ne l'oubliais pas, mais c'était par une espèce d'humilité charmante, qu'elle me le rappelait, à l'occasion, comme dans sa dernière lettre. C'était aussi une sorte de pudeur qui l'empêchait de faire acheter elle-même, par les religieuses, ces petites friandises, qu'elle préférait tenir de moi. En dépit des cravates de couleur, ce soin me sembla superflu aujourd'hui.

J'étais convenu avec les peintres que les travaux se continueraient en mon absence; sur la table de ma chambre, je laissai ouvert le télégramme, en guise de sauvegarde. Jetant un dernier coup d'œil dans l'appartement, je m'interrogeai, avant d'invoquer, en faveur de ma mère, la protection des trois ou quatre dieux dont les visages de marbre veillent sur moi. Je les ai invoqués dans diverses occasions et n'ai eu qu'à me louer de leur condescendance. Maintenant, était-ce scepticisme ou égoïsme ou crainte de profaner la pieuse image de ma pauvre maman ? je regardai mes dieux et ne leur demandai rien.

Je m'arrêtai chez les concierges, pour leur donner mes instructions. Ils étaient à table et vinrent à la porte, la serviette à la main. Déjà avertis de ce qui hâtait mon départ, ils avaient un air de circonstance.

— Si vous m'aviez parlé à temps de la maladie de votre mère, me dit le concierge, je l'aurais guérie : j'ai des pouvoirs cachés.

Eh oui ! avec un concierge guérisseur et une amie voyante, je risquais de m'être laissé prendre en défaut.

— Je guéris sur photographie, continuait l'homme. Je serre la photographie dans mes mains, et, au bout d'un moment, elle se tord sous mon fluide et la maladie s'en va. Je viens, à distance, de guérir un « concer » et une « peu-

résie ». C'est justement à des dames de Pierrefitte – Pierrefitte, comme vous ! Malgré les lettres
quotidiennes et mon nom dans les journaux, il
n'a jamais pu m'appeler autrement.

Sa femme l'interrompit :

– Tu racontes tout ça à monsieur et tu vois
bien qu'il est pressé !

Il tenait néanmoins à faire quelque chose :

– Je vais vous donner un remède par les
plantes.

Il courut fouiller dans son armoire et revint
avec un sachet de papier, où se lisait la marque
d'une poudre pour la lessive. Il me montra à
l'intérieur des feuilles sèches :

– Dès que vous arriverez, faites-les bouillir
avec trois ou quatre pruneaux et donnez à
boire à votre mère une tasse de cette tisane,
très sucrée. Autant le lendemain et de nouveau
dans cinq jours, le matin à jeun. Alors, elle
ira tout à fait bien.

Après avoir proféré cette ordonnance, il
resta silencieux un instant, pendant que je
rangeais le paquet dans ma poche. Il ajouta :

– J'espère que vous n'arriverez pas trop
tard. Une mère qui meurt a quelque chose à
dire à son enfant : elle lui passe sa foi.

Le brave homme ! Je l'aimerai toujours pour
ce mot.

En le quittant, je regardai l'heure et fus
effrayé : il me restait exactement quarante
minutes pour aller de chez moi à la gare.
J'avais compté trouver un taxi, mais malheureusement, une pluie fine commençait à tomber : cela m'indiquait d'avance que, par ici,

41

il n'y aurait pas de voiture libre. D'un pas rapide, je montai l'avenue Hoche jusqu'à l'Étoile, hélant en vain les taxis de passage et changeant plusieurs fois ma valise de main.

Je me précipitai dans le métro. Le quai était plein de monde, ce qui, à cette heure indue, annonçait un retard : nouveau guignon.

J'éprouvai une sorte de haine contre les gens qui attendaient, lisant des journaux, bavardant, riant. Je n'étais plus un Parisien d'adoption, mêlé à ses compatriotes, mais un étranger entouré d'inconnus. Je n'étais pas quelqu'un qui va au théâtre ou au cinéma, à une partie de bridge ou à un rendez-vous d'amour, quelqu'un qui regagne son foyer ou qui cherche aventure. J'étais quelqu'un qui allait, à huit cents kilomètres d'ici, au chevet de sa mère mourante ou morte. Je m'accusai de négligence : que n'avais-je mieux préparé un tel départ ? Je m'étais donné, cependant, le temps de le préparer ! J'aurais dû ne rien laisser au hasard et retenir une voiture, pour être assuré de prendre ce train que j'allais peut-être manquer. J'aurais dû au moins prier quelqu'un de m'y conduire. Je songeai à M. qui s'était fait, une fois, conduire à la gare par un commissaire de police.

Enfin, le métro arriva : il était exactement huit heures trente-cinq. Le moindre incident, le moindre nouveau retard, et c'en était fait de mon voyage. Il me semblait que les gens ne montaient pas assez vite. On partit. Je regardai le tableau des stations, comme si je ne le connaissais pas, et me livrai à des calculs compliqués, suivant les deux changements que j'avais à faire. C'était bien ma chance d'avoir à aller jusqu'à la gare d'Austerlitz ! Pour la première visite que je faisais à Toulouse, depuis que maman y était revenue, j'étais en mauvais point. Si je m'étais rendu à Nîmes, comme la dernière fois, la gare de Lyon m'eût été d'un accès plus aisé. En outre, les couloirs souterrains d'Austerlitz sont interminables et me demanderaient bien trois ou quatre minutes, au pas de course. Je me refusais à calculer davantage, tant mon départ était d'ores et déjà problématique. Du reste, sur le quai du métro, je n'avais vu personne avec des bagages : les gens qui prenaient le train de Toulouse, étaient à la gare depuis longtemps.

Par bonheur, aux deux changements, le métro ne se fit pas attendre. Je songeai, un peu tard, que j'aurais pu ne changer qu'une fois, en suivant un autre itinéraire. Chaque fois, je m'étais enquis, anxieusement, de la place la plus favorable pour l'accès aux correspondances et, enfin, à la sortie. Dans le wagon qui m'emportait vers la gare d'Austerlitz, j'étais tout ensemble si nerveux et si énervé, en voyant qu'il me restait à peine sept minutes, qu'un frisson me parcourut; je redoutai de ne pas avoir la force d'aller jusqu'au train. Je posai ma valise, que j'avais toujours tenue à la main, et, m'éloignant de la portière à laquelle je m'étais collé, je m'assis pour calmer ma fièvre. J'étirai mes jambes, je fis jouer les articulations de mon bras et de mes mains. Un enfant m'observait avec curiosité; une femme, avec inquiétude. J'avais l'œil rivé sur le conducteur, qui donnait le signal de la marche, aux stations. Plus vite ! plus vite ! Maintenant, j'ai la certitude que la vie de ma mère est liée à ce départ : après avoir perdu un jour, je sais que je n'ai pas le droit de perdre une minute et que cette minute est à la merci de ce conducteur, qui ne le sait pas.

La légèreté avec laquelle j'avais agi, cette légèreté qui me fut souvent d'un grand secours, me faisait à présent figure de crime. D'ordinaire, je me flattais, comme d'une élégance, de n'arriver que quelques instants avant le départ du train. Cette habitude invétérée avait tenu bon, même aujourd'hui. Combien peu j'étais en cela le fils de mon père ! Nous appréhendions, maman et moi, d'aller en voyage avec lui : il était sans cesse en avance, et nous étions sans cesse en retard. Cette fois, j'aurais pu, au moins, être à l'heure. Cherchant à me justifier, j'en venais à maudire le déjeuner Renaudot, auquel je reprochais de m'avoir fait perdre du temps. Au contraire, il m'avait permis de prendre mon billet et, la véritable cause de ce retard n'étant qu'en moi, j'aurais même dû, sans ce déjeuner, renoncer à partir.

Enfin ! me voici à Austerlitz : j'ai juste cinq minutes pour parcourir les couloirs, remonter à la surface, traverser la gare, présenter mon billet au contrôle, me jeter dans le train. Mais je pense à ces cinq minutes qui gagnent les batailles et je me jure de gagner. Je suis soutenu dans ma course par une course identique à la mienne que j'entends derrière moi.

Il y a donc un autre retardataire ! Malgré les exercices que j'ai faits dans le wagon, mes mains sont crispées et j'ai l'impression que ma valise va tomber. Je résiste, en me répétant : « Maman est en train de mourir, maman est morte », comme si je parodiais l'oraison funèbre. Afin de me fouetter par tous les moyens, je me répète également : « Le voyageur qui court après moi, est un bandit redoutable. » J'ajoute mon propre intérêt à celui de ma mère. Si je manque le train de nuit, je resterai à la salle d'attente et prendrai celui de l'aube.

Je suis à la gare, dont j'ai monté l'escalier quatre à quatre. Dans le hall, l'horloge marque neuf heures moins une. Je m'agrippe au dernier wagon, tandis que le convoi démarre. Je puis dire, comme dans les mélodrames : « Sauvé ! Merci, mon Dieu ! »

Je fus si heureux, que je crus de nouveau à mon étoile. Surtout, je me croyais déjà auprès de maman, puisque j'étais en route vers elle. Du moment que je la rejoignais, rien n'avait pu encore l'éloigner. Demain matin à huit heures, je serai à son chevet. Elle savait que cette nuit était celle de mon voyage; cette nuit ne pouvait être celle de sa mort. Je savourais avec amertume la façon que j'avais de me rassurer ou de m'inquiéter à propos de maman, selon que j'étais plus ou moins content de moi.

Il ne me restait qu'à parcourir le wagon pour faire le choix du meilleur voisinage. Mais je m'arrêtai bientôt, en rougissant de mon idée. Maintenant, je ne pensai même pas sans rougir à mon dernier voyage de cet été, lorsque j'allais à Nîmes. Ce voyage-là me laissa des souvenirs si agréables que, huit jours après, je repris le train pour Paris, sachant y trouver la même compagnie qu'à l'aller. Je retournai à Nîmes par le train suivant. Maman, qui s'en tenait toujours aux explications que je lui donnais, s'était beaucoup amusée d'un aller et retour si rapide. Cela lui avait semblé un trait d'écolier, et elle avait dit, comme pour me trouver une excuse : « Quel enfant ! »

Ce mot retentissait étrangement, ce soir, dans ma mémoire : il me rappelait que, si j'étais trop souvent « un enfant », je me devais aujourd'hui d'être *son* enfant. C'est à elle seule que ces heures étaient dues. Il ne m'était pas permis de les lui ravir pour les donner à un autre. Alors que je me rapprochais d'elle, et que son image m'envahissait tout entier, je ne songeai pas à dérober des plaisirs au sommeil, au silence et à la nuit.

2

À mesure que, dans le petit jour, se dessinaient des horizons connus, je sentais grandir mon angoisse. Combien ce paysage me paraissait différent ce matin ! Il ne m'annonçait plus aussi sûrement la joie qu'aurait à me revoir ma vieille mère, la joie que j'aurais à la revoir : il me faisait craindre que tous ces lieux et tous ces noms n'existassent plus pour elle, puisque renaissaient mes craintes qu'elle n'existât déjà plus. Me dirait-elle encore : « As-tu fait un bon voyage ? N'as-tu pas eu froid ? »

Montauban… Le prochain arrêt me mettrait bientôt devant la vérité… Toulouse… Il est sept heures et demie : le train est exact.

Je fais un dernier effort en vue de me tranquilliser, pour les quelques instants qui me restent. Personne ne m'attend sur le quai : je veux y voir un bon signe. Mais peut-être suis-je attendu à la sortie. Il y a beaucoup de monde qui attend là : il y a même deux religieuses, mais elles sont vêtues de bleu; ce ne sont pas les miennes. Il y a des femmes élégantes, avec de jolis enfants bien peignés, de si bon matin. Je suis seul pour affronter un destin avec lequel je confonds le mien propre.

Dans la cour de la gare, je me rappelai mon arrivée avec maman, en septembre dernier, à sept heures et demie du soir. Elle était si contente de revoir sa bonne ville, où lui était préparé le refuge qu'elle avait tant souhaité ! Pour elle, c'était un endroit illustre, que nul ne pouvait ignorer, et je l'avais plaisantée, quand elle avait dit au chauffeur, en montant dans la voiture : « Chez les dominicaines ! », comme elle aurait dit : « Au Capitole ! » Le chaud crépuscule de l'automne nous enveloppait alors et remplissait de douceur les premières impressions du retour. La froide grisaille de ce matin d'hiver me semblait maintenant un mauvais présage. Toutes mes espérances y fondaient.

Une sorte de lâcheté m'empêcha de prendre un taxi : je tenais désormais à retarder le plus possible une révélation dont je ne doutais plus. Je n'en doutais plus et je faisais comme si j'en doutais encore. Je tenais à garder, encore quelques instants, l'illusion que ce voyage était pareil aux autres. De même que j'avais retardé mon départ, en ne croyant pas à mon malheur, je retardais l'instant de revoir ma mère, en me disant que, pour moi, elle n'était pas morte, tant que je ne le savais pas.

Je descendis du tram au Grand-Rond, et me demandai un instant si j'irais d'abord chez mes cousins. Mais je jugeais vain le subterfuge d'un nouveau délai et je montai les allées

Frédéric-Mistral, pour me rendre au couvent.

Je relisais les noms des rues qui débouchent sur les allées : celui de la rue de Fleurance et celui de la rue Monplaisir, qui m'avaient toujours réjoui, et enfin celui de la paisible rue Mayniac, dénommée à présent « des Martyrs de la Libération ». Au coin de la rue, le « foyer des enfants de déportés » signale, d'une autre manière, les souvenirs laissés par les Allemands à Toulouse. Je passai devant la pharmacie, que maman regrettait de voir constamment fermée, le garage peint en rouge, couleur qu'elle n'aimait pas, la maison de l'Apostolat de la prière, qui avait sa sympathie.

J'arrivai devant l'immeuble des sœurs. La chambre de maman était au rez-de-chaussée et donnait sur la rue; les persiennes étaient entr'ouvertes – maman ne les fermait jamais; elle disait aimer à voir le jour. Je n'aperçus à l'intérieur aucune lumière. Un fol espoir m'envahit : si elle était morte, on verrait brûler des cierges. Je sonnai. Quel bruit faisait la sonnette ! C'était comme un carillon et je me souvenais que je m'étais inquiété naguère auprès de maman si cela ne la dérangeait pas : elle aurait eu scrupule à se plaindre de la moindre chose. J'entendis un pas rapide, les verrous que l'on tirait – ces verrous qui résistaient parfois à ses efforts, quand elle voulait me faire entrer, et elle disait, derrière la porte : « Ah ! ça, mais... » C'est la sœur Marie du Rosaire qui m'ouvrit. Elle avait un sourire triste.

– Me voici, ma sœur ! dis-je, me sentant

assez gauche. J'espère que je n'arrive pas trop tard.

Elle hocha la tête :

– Trop tard, monsieur !

Ces mots me transpercent et me couvrent de honte : j'ai honte de moi, à l'égard de ma mère, à l'égard de cette religieuse, à l'égard de cette maison. La sœur ajoute :

– Mme Peyrefitte est morte hier au soir à neuf heures.

Elle était morte, à l'heure même où je prenais, pour la retrouver, ce train que j'avais failli manquer. Il y avait eu le temps du voyage entre elle et moi. L'événement avec la probabilité duquel j'avais joué jusqu'ici, était accompli. Il me laissait sans larmes, parce qu'il dépassait soudain la mesure de tout.

La sœur me fit pénétrer dans le petit salon. J'appréciai cette attention, qui me ménageait une dernière étape. Je restais debout, devant la table, pour écouter le récit de la religieuse, mais celle-ci me montra un siège :

– Vous devez être fatigué.

Je ne songeai même pas à réagir; j'aurai eu cette avanie suprême d'écouter dans un fauteuil le récit de la mort de ma mère.

– Comme elle vous réclamait ! comme elle vous a attendu !

Rien ne pouvait m'être plus cruel que ces simples mots.

– Depuis que vous aviez fixé votre arrivée au 20, elle comptait les jours. J'avais cru que vous viendriez pour Noël et, comme je m'éton-

nais de ne pas vous voir, elle m'avait répondu :
« Mais il ne peut pas ! »

Mot plus cruel encore, dans sa résignation.
Quels étaient ces devoirs, mêlés à tant de
frivolité, qui m'avaient retenu loin de Toulouse ?

À Paris, cette date du 20 m'avait semblé
impérieuse et je ne lui trouvais plus, ici, la
moindre justification. Libre, indépendant, au
nom de quoi m'étais-je imposé cette contrainte
criminelle ? Ma prétendue liberté ne m'avait
servi que contre ma mère. Mais comment celle
qui en avait été la victime, s'en serait-elle
doutée ? À ses yeux, si je n'avais pas été là
pour Noël, c'est que je n'avais pu. Elle ne se
serait pas imaginé que j'aurais pu, si j'avais
voulu. Elle croyait à un monde où les fils et
les mères étaient toujours réunis pour les fêtes,
sauf impossible.

La religieuse continua :

– Elle disait souvent : « Comme c'est loin,
le 20 ! » Le premier janvier, elle avait été
triste, parce que personne n'était venu lui faire
visite. (M. et Mme Laurens ne vinrent que le
lendemain.) « Tout le monde m'abandonne »,
m'avait-elle dit – oh ! ce n'est pas à vous
qu'elle le reprochait.

À ne vouloir rien exiger de moi, qui lui
devais tout, elle avait fini, dans son innocence,
par être exigeante envers ceux qui ne lui
devaient rien.

– Il y a une dizaine de jours, il lui prit une
faiblesse. À partir de ce moment, elle ne se
leva plus et ne mangeait presque plus – elle

refusait même le chocolat. C'est alors que nous vous avons écrit; vous nous avez répondu pour la chaise-longue, que nous n'avons d'ailleurs pas achetée – cela n'en valait plus la peine. Mais nous ne comprenions pas votre absence, ou plutôt, malheureusement, nous n'avions pas su nous faire comprendre de vous. Puis, les Laurens vous ont télégraphié et nous avons espéré que vous seriez ici hier matin. Mme Peyrefitte ne dormait pas; fréquemment, elle me demandait l'heure – je la devinais, plus que je ne l'entendais. Quand l'heure du train fut passée, elle dit simplement : « Ah ! » Ce fut son dernier mot.

– N'aviez-vous pas reçu mon télégramme ?

– Nous l'avons reçu hier au soir, à huit heures.

– Quoi ? j'avais télégraphié la veille, dans l'après-midi.

Je cherchai aussitôt à qui m'en prendre et m'écriai avec rage :

– Je reconnais bien là mes cousins.

Il me paraissait aussi naturel qu'à maman de m'insurger contre eux.

– Ce ne doit pas être leur faute. Ils ont envoyé leur femme de chambre, à cinq heures, prendre des nouvelles et apporter le télégramme à huit heures : il n'était donc pas arrivé trois heures plus tôt.

Il s'en était fallu de peu que ce télégramme, lui aussi, n'arrivât trop tard.

– Mais c'est affreux ! dis-je. Si maman avait su plus tôt que j'arrivais, elle aurait peut-être trouvé la force de m'attendre !

– Elle a eu au moins la force d'attendre le télégramme : grâce à lui, c'est comme si vous aviez été là. Le médecin est venu dans la matinée et m'a dit qu'elle allait rendre l'âme d'un instant à l'autre. Elle a vécu douze heures de plus, sans doute dans l'espérance de votre arrivée ou d'un message. Elle n'ouvrait plus les yeux, mais lorsque je me suis penchée vers elle pour lui annoncer que vous étiez en route, elle les a entr'ouverts, afin de regarder le télégramme que je lui montrais – les autres jours, elle me priait souvent de lui montrer votre photographie. Elle a versé deux grosses larmes, et sa main, que je tenais, a serré légèrement la mienne. Je m'assis auprès d'elle pour lire un livre de piété et il était neuf heures, quand je m'aperçus qu'elle était morte.

La supérieure entra. Sa vieille figure ridée était toute pâle, sous le voile bleu qui coiffait sa robe blanche. Elle avait un œil qui clignotait.

– Pauvre monsieur ! me dit-elle. Nous l'aimions bien, la pauvre dame ! Il n'y a que quelques mois qu'elle était parmi nous et nous la pleurons, comme si elle était des nôtres.

– Elle était des vôtres, dis-je.

– Certes ! En la conduisant ici, vous l'avez conduite au port. Soyez sûr qu'elle a été bien soignée; sœur Marie du Rosaire l'a veillée pendant douze nuits.

– C'était une gentille malade, dit la sœur.

– À sa demande, on lui a administré les derniers sacrements avant-hier, en présence de la communauté. Elle les a reçus avec un courage exemplaire. Nous avons récité le chapelet devant elle; ses lèvres nous accompagnaient. Dieu l'a fait vivre jusqu'au lendemain. Elle a eu vraiment une bonne mort, sans un gémissement : elle est morte, comme une lampe s'éteint. Ce matin, j'ai fait dire la messe à son intention. Comme ça, elle n'a pas dû s'arrêter longtemps au purgatoire.

Puis, me regardant avec un sourire maternel :

– Vous n'avez certainement pas déjeuné.

Je réponds que je n'ai pas faim; mais elle insiste et envoie la sœur chercher un plateau qui, me dit-elle, est déjà préparé à mon intention.

– Aimez-vous le café ? Nous avons un peu de lait, bien qu'il soit rare, mais beaucoup de nos dames ont la carte du « régime lacté ».

– C'était celui de Mme Peyrefitte, dit la sœur. Nous vous donnerons du pain grillé, mais vous nous excuserez, si nous n'avons pas de beurre.

Ainsi, j'allais déjeuner – déjeuner, avant d'embrasser la dépouille de ma mère; avoir « un peu de lait », grâce à sa carte de « régime lacté ». Sans doute les sœurs considéraient-elles le sentiment et l'appétit comme des choses toutes simples.

– Je pense, me dit la supérieure, que vous ferez le service à Alet, puisque c'est là que vous avez votre caveau de famille. Pauvre dame (je ne me lasse pas de le dire) ! Je la vois encore, priant avec nous pendant l'extrême-onction ! Nous ne l'oublierons jamais et ne vous oublierons pas non plus, par la même occasion. Prier pour la mère, c'est prier pour le fils.

» La vie est une chose curieuse, cher monsieur. J'ai moi-même failli mourir, il y a un mois, et reçu également l'extrême-onction. Et c'est la pauvre dame qui m'a précédée !

Sœur Marie du Rosaire reparut avec le plateau. Les deux religieuses me laissèrent. J'aurais voulu aller me laver les mains au petit lavabo du couloir, mais n'osai pas.

Tout en déjeunant, j'admirai ces pieuses femmes qui faisaient preuve, dans leur solitude, d'une si parfaite connaissance de la nature humaine : ce déjeuner était une précaution touchante contre ma douleur. Elles traitaient la vie aussi familièrement que la mort. Mais croyaient-elles vraiment à la mort ? Comme chrétiennes, la mort n'était pour elles que le signal d'une autre vie. En faisant une fin évangélique, on entre dans la béatitude et la mort est vaincue. D'ailleurs, ces religieuses n'étaient-elles pas déjà elles-mêmes hors de la vie ? À l'abri des agitations et des soucis du monde, elles pouvaient garder une âme d'enfant : leur secret pour ne pas avoir peur de mourir – *du mourir* – c'était d'ignorer le prix de vivre.

Ma mère était bien leur digne compagne : elle non plus n'avait pas eu peur de la mort. J'étais reconnaissant à ces convictions qui l'avaient soutenue. N'ayant pas le soutien de ma présence, quelle fin déchirante elle eût faite, si elle n'avait pas eu celui-là ! Elle était morte sans me « passer sa foi », peut-être parce que ce n'était pas la mienne; mais elle y avait trouvé son viatique. Je pensai à un mot que j'avais relu dernièrement, dans un de mes carnets de collège : « Maman a du béguinage. » Comme j'avais dû être satisfait, à quinze ans, d'écrire cette petite note, et de me mettre doublement, par un terme rare et ironique, au-dessus de ma mère ! Heureux, bienheureux béguinage, qui l'avait accompagnée jusqu'à son heure dernière et qui avait remplacé son fils !

La sœur revient. Je me lève pour la suivre. Je reconnais le craquement du parquet du couloir. J'aperçois, en face, le petit escalier qui conduit à la chapelle – cet escalier dont le voisinage avait été regardé comme une bénédiction par ma chère maman : elle avait la chapelle à sa porte !

La chambre est dans la pénombre. Je me tourne à gauche vers le lit. Maman, la tête penchée, dans l'attitude que lui avait donnée la vieillesse, semble dormir. Son visage ne trahit nulle souffrance; un vague sourire flotte sur ses lèvres gercées. Oui, on croirait qu'elle dort, si les yeux n'eussent été enfouis dans les orbites. Ses cheveux gris, bien peignés, lui font une auréole. Elle est admirablement propre : la sœur a dû lui faire sa toilette funèbre, lui mettre cette jolie chemise à jabot de dentelle. Ses mains sont croisées sur le drap. Son petit chapelet d'argent y est entrelacé, pardessus le crucifix de nacre que mon père avait rapporté de Jérusalem et qu'il avait également, sur son lit de mort, tenu entre ses doigts.

De nouveau, je me sentais incapable de verser une larme : ce spectacle, plus encore que la nouvelle, ne me paraissait avoir de commune mesure avec rien. J'en étais gêné, à cause de la sœur. Elle avait dû méditer sur d'autres mots que ceux de Sénèque : *Magni dolores stupent*. Mon arrivée tardive risquait de lui avoir fait soupçonner d'avance que j'avais le cœur aussi sec que les yeux. Du moins, mon visage non rasé ajoutait-il à mon air de tristesse; mais j'aurais voulu me présenter, dans une occasion aussi solennelle, sous des apparences moins négligées. Mon visage non rasé... Je voyais, sur celui de maman, les poils follets qui avaient poussé autour de ses lèvres : ils étaient gris, comme les cheveux. Une de ses petites coquetteries était de les arracher avec une pince, et, à chacun de mes voyages, je m'amusais à parfaire ce soin avec des ciseaux. Elle était heureuse de se prêter à cette cérémonie, qui l'amusait tout autant. « Tu me fais mal ! » disait-elle, au premier contact des ciseaux, et je lui répondais : « Vous criez toujours avant que l'on vous écorche. »

Je me penchai vers elle : je baisai son front, où les rides avaient disparu; je baisai ses lèvres, comme si j'avais à y recueillir un dernier mot inexprimé, qui fut sans doute mon nom; je baisai ses mains froides. C'est sur ses doigts, de même que sur ses yeux, que la mort avait laissé le plus de traces : ils étaient pareils à une peau soufflée. Je me mis à genoux, avec la sœur. J'inclinai le front, j'appelai des prières qui ne venaient pas. Pourtant, les mots de l'*Ave Maria* s'égrenèrent dans ma mémoire et je les récitai. C'était la prière favorite de celle qui reposait sur ce lit; c'était la prière qu'elle eût récitée pour moi, de toute son âme, si elle avait été à ma place.

Sur la table de nuit, il y a un immense crucifix en bois noir et deux cierges. Est-ce un usage de ces maisons, qui veut que ces cierges soient éteints ? Au pied du crucifix, une soucoupe remplie d'eau bénite, où trempe un rameau d'olivier. Je le prends et fais, sur le cadavre, le signe de la croix. La sœur se lève et se retire. Je suis seul.

Autour du lit, sont rangées plusieurs chaises, où se sont assises sans doute les personnes qui ont veillé. Je m'asseois. Mes yeux ne peuvent se détacher de ce visage immobile. Je le juge à présent moins serein. Le sourire qu'il reflète me paraît triste; ce calme porte les traces d'un combat; ce repos, c'est le « dur repos » des morts de toujours; le sommeil qui presse ses paupières, c'est le « sommeil de fer »; l'ombre qui les couvre, c'est celle de « la nuit éternelle » ! Chez cette vieille femme, comme chez tous les mourants, la vie a lutté, doucement, mais tenacement, contre la mort. La foi chrétienne, la confiance maternelle n'ont pu empêcher cette lutte.

Mon père, lui, avait appelé la mort : ses vieux ans pesaient à l'homme actif qu'il avait été. Souvent, en notre présence, il demandait à Dieu ce qu'il faisait inutilement sur la terre, et, lorsque Dieu lui répondit, quelle lutte il soutint contre la mort !

Nous étions dans notre maison d'Alet; maman, qui avait subi une petite opération,

58

était couchée. J'étais resté à bavarder avec lui, dans la salle à manger, au coin du feu. À vrai dire, il ne parlait pas beaucoup, mais aimait qu'on lui parlât. L'heure venue, il se leva pour monter dans sa chambre. Il se servait d'une canne, mais mettait un point d'honneur à n'avoir besoin de personne. Je le précédai vers la porte et me retournai soudain au bruit d'une chute : il était retombé lourdement dans son fauteuil. Il n'avait pas perdu connaissance et me regardait, moins, me sembla-t-il, pour requérir mon aide que pour voir l'effet produit sur moi par cette scène. Il me sourit, comme pour me rassurer, et, avant que j'eusse fait un pas, il s'était redressé. Il ne m'avait jamais paru si grand – sa haute taille, un peu courbée par l'âge, avait repris toute sa fierté pour la dernière fois. De nouveau, il s'affaissa. Je me précipitai : « Laisse-moi donc ! » me dit-il. Il s'imposa encore de se remettre debout sans mon secours et tomba par terre.

Il ne s'était pas blessé. Je l'aidai à se relever, mais il voulut monter seul, en s'appuyant à la rampe, et murmurait : « Ce n'est rien, ce n'est rien... » Il se coucha. Au milieu de la nuit, maman vint m'avertir qu'il délirait : il mourut deux jours après. Il repoussa tous les soins ou ne s'y soumit qu'avec peine : c'était sans doute sa façon de nier son état et de nous persuader qu'à l'âge de quatre-vingt-six ans, une petite congestion n'était rien.

J'évoquais cette vision de la mort de mon père, pour compenser ce qui m'avait été dérobé de la mort de ma mère. Mais plus encore que lui, elle me donnait l'impression de ne pas avoir accueilli la mort comme une délivrance. Elle n'avait jamais fait cette prière téméraire de la demander à Dieu. Elle aimait la vie – ou pour en goûter les petites douceurs ou pour en offrir les maux en sacrifice. Mais ce n'est pas cela qu'elle avait regretté : c'est de ne pas m'avoir revu.

Je jette quelques regards autour de la chambre. Mon télégramme est sur la table – ce télégramme qu'un mystérieux destin a fait arriver si tard, mais qui, par cela même, a prolongé de quelques heures la vie de maman. Dans un coin, appuyée à son fauteuil, sa canne d'ébène; sur la commode, une photographie où je figure tout enfant, entre mon père et ma mère; une autre, plus récente : celle qu'avant-hier encore, elle s'était fait montrer. Il y a aussi une grande coupe de porcelaine blanche, un vase de Chine où se fanent quelques fleurs, un livre de messe, sa boîte à ouvrage. Sur sa coiffeuse, dont les battants de glace ont été fermés, des flacons, des vide-poches, des brosses, de menus objets que je lui avais offerts. Aux murs, un tableau de soie, une peinture représentant la Vierge, et un cadre, appartenant aux sœurs, qui contient un motif religieux fait avec des brins de paille. En face du lit, un récent portrait de moi, qu'elle a dû bien souvent contempler. Toutes ces choses me semblent encore imprégnées d'elle et me masquent sa mort. Mes yeux se reportent sur le lit. Enfin, je pleure.

Doucement, la sœur rentre dans la chambre :

– Vous n'avez pas froid ? me dit-elle, comme maman me l'aurait dit.

Elle touche le calorifère :

– Je l'ai fermé; c'est plus sain.

Elle cherche à me distraire, en me parlant d'autrui :

– Je m'étonne que vos cousins ne soient pas déjà venus ou n'aient pas envoyé prendre de nouvelles. Il est vrai que leur domestique a peur de la mort et qu'elle n'a pas voulu hier pénétrer dans la chambre; Mme Peyrefitte n'était pourtant pas morte, mais on savait qu'elle n'avait plus longtemps à vivre.

» Je puis bien vous l'avouer : avant sa maladie, elle a souffert de la solitude. M. et Mme Laurens sont jeunes, ils ont leurs amis et ne pouvaient, naturellement, être ici tous les jours. Mais enfin, il y avait les dames de la maison, il y avait moi et il y avait les enfants de notre garderie. Mme Peyrefitte allait les voir dans le jardin ou dans la salle : c'était un bonheur, pour elle et pour eux.

– C'est justement parce que je la savais seule, que j'aurais dû arriver depuis longtemps.

– Hélas ! monsieur, vous l'avez vu : il n'est même pas toujours possible d'arriver à temps. Moi aussi, je suis arrivée trop tard au chevet de ma pauvre mère. J'étais dans un couvent lointain; j'avais reçu, comme vous, un télégramme; comme vous, je n'ai pu partir tout de suite, et, quand je suis arrivée, ma mère était morte depuis quelques heures, comme la vôtre. Et vous devinez quelle eût été sa consolation de mourir entre les bras de sa fille religieuse.

Exquise charité, dont toutes les paroles savent si bien panser mes blessures.

Il est neuf heures et demie; je peux aller chez mes cousins; il faudra m'occuper des formalités de la mort – au couvent, on ne s'est occupé que de la messe.

Avant de quitter la chambre, je dis à la religieuse qu'il m'est cruel de laisser maman dans cette dernière solitude.

– Oh! monsieur, vous savez bien qu'elle n'est plus ici. Là où sans doute elle est déjà, elle n'a même pas besoin de nos prières; mais nous prions, pour qu'elle ne nous oublie pas. À propos, je lui ai retiré ses bagues, qui sont dans le tiroir de la coiffeuse. Je n'ai su retirer ses boucles d'oreilles.

Je me penchai de nouveau sur maman. Voyant que je baisais le crucifix que tenaient ses doigts, la sœur me dit :

– Ce crucifix, vous le garderez pieusement : il lui était si cher !

Il me le serait plus encore : non qu'il fût « l'image de mon Dieu », mais il était deux fois le « don d'une main mourante ».

Pouvais-je me refuser à y voir aussi ce qu'il avait été pour ces mourants ? Mon père, qui avait longtemps peu pratiqué, s'était rangé aux règles de la religion sous l'influence de maman, et il avait fait le vœu d'aller en Terre sainte. Maman était trop délicate pour affronter un tel pèlerinage, mais c'est également pour elle qu'il l'avait accompli. Durant mon enfance, nous avions été tous les trois en pèlerinage à Lourdes; nous allions également, à peu près chaque année, à un pèlerinage près de Limoux, celui de Notre-Dame-de-Marceille : c'étaient des rites établis. Le crucifix de nacre, en me rappelant tout cela, me rappelait plus que ma mère et mon père : il était le symbole d'une famille chrétienne – d'un couple chrétien – pour qui la foi avait gardé sa fraîcheur primitive. Ces mains l'avaient tenu vraiment comme l'image de leur Dieu.

Me revoici dans la rue. De la maison d'en face, sortent des jeunes filles rieuses; le « foyer des enfants de déportés » retentit également de joyeux rires.

En descendant les Allées, je pense aux quelques promenades que j'ai faites avec maman dans ces parages. Combien ? trois ou quatre, tout au plus, après son installation rue Mayniac; et c'est l'une d'elles que j'ai revue en songe. Appuyée d'une main sur sa canne, de l'autre à mon bras, maman trottinait et me disait doucement que je marchais trop vite. Nous nous arrêtions, afin qu'elle reprît haleine. Les gens nous regardaient. J'éprouvais une espèce de satisfaction à me dire que j'étais « un bon fils », comme elle me le disait parfois. Quand nous habitions rue des Fleurs, je ne l'accompagnais presque jamais dans ses sorties. Je le lui ai mesuré, ce temps que je savais si bien perdre – perdre si mal ! Que ne donnerais-je pas, pour avoir été envers elle plus attentif, plus empressé ! Mon châtiment sera dans mes regrets.

Près du Grand Rond, je vois venir mon cousin. Au signe que je lui fais, il comprend d'avance. Il hâte le pas.

– Nous nous doutions de ce qui s'est passé, dit-il. Nous aurions été bien ennuyés, si vous n'aviez pas été là ce matin.

J'entre sous la haute voûte de leur maison, où maman avait habité quelques mois, avant son départ pour Nîmes. C'est elle que, partout, dans cette ville, je retrouve à chaque pas.

Mon cousin, ma cousine et moi, nous commentons le triste événement. Ils me disent combien ils ont été étonnés que je n'eusse pas accouru après la lettre de la sœur et sans attendre leur télégramme.

– Lundi, j'avais été voir ma tante, déclare Paulette. Sœur Marie du Rosaire venait de vous écrire. J'ai emporté la lettre et pris un tram pour aller la jeter à la gare, afin qu'elle partît plus tôt. Mercredi, nous avons voulu vous téléphoner, mais nous ne savions pas votre numéro. Nous avons cherché des lettres, où il figurât dans l'en-tête, mais nous n'avons pu en retrouver. À votre mère comme à nous, vous écriviez sur du papier sans en-tête. Nous avons demandé les renseignements de Paris; on nous a répondu que votre numéro n'était pas communiqué. Ah ! on peut dire que vous nous avez donné du mal, ces jours-ci !

Je m'excuse et remercie.

– Mais enfin, me dit Paul, n'aviez-vous pas compris que la paralysie qui l'avait frappée était le signe de la fin ?

– Comment ? J'y voyais un motif d'espérer.

– Mon pauvre ami ! Vous êtes mal renseigné sur les choses de la vieillesse.

J'aurais dû faire ce que j'avais dit en plaisantant à mon théosophe : consulter un médecin, mais pour maman.

Je fais préciser l'heure à laquelle a été remis mon télégramme.

– Il faudra faire une réclamation à la poste, me dit Paulette. Quand le retard est excessif, le télégramme est remboursé.

– Il n'est pas question qu'on l'ait apporté en notre absence, dit Paul : nous ne sommes pas sortis de la journée. À peine est-il arrivé que nous avons expédié la bonne au couvent.

Il téléphone à l'agence des pompes funèbres qu'il dit être la meilleure, et fixe rendez-vous à trois heures, rue Mayniac.

– Vous n'aurez à vous occuper de rien, dit Paul.

– Il suffit de payer, dit Paulette.

Elle me demande quelle tenue les sœurs ont mise à maman. Je le lui dis.

– Bon ! mais est-ce que l'on a mis également un joli drap ?

Je lui réponds que je n'y ai pas pris garde, mais que sûrement on a bien fait les choses.

– Trop bien, sur ce chapitre ! Les sœurs ont la manie de mettre les plus beaux draps aux lits de mort, et, comme ils servent ensuite de linceuls, ils sont perdus.

Son mari lui rappela que l'on n'utilisait pour linceul que le drap de dessous.

– Et les bijoux ? me crie Paulette.

– Les bijoux ? La sœur m'a dit, je crois,

qu'ils étaient dans le tiroir de la coiffeuse.

– Le tiroir n'a pas de clé; hâtez-vous de les retirer. Il se passe tant de choses, dans ces couvents ! Bien sûr, les religieuses sont des femmes exquises, des femmes au grand cœur, tout ce que vous voudrez. Mais après avoir dépassé les limites du devoir dans les soins qu'elles rendent, elles dépassent souvent celles de leurs droits : elles travaillent d'abord au bien des âmes, puis au bien de leur communauté. Vous seriez surpris de ce que je pourrais vous raconter à ce sujet : une de mes cousines mourut, il y a quelques années, sous un toit aussi sacré que celui de ma pauvre tante. Eh bien ! on ne lui retrouva pas un seul bas, et elle en avait des douzaines, c'était sa passion. À ses chemises, on avait décousu les boutons – qu'est-ce qui n'est pas bon à prendre ? À ses culottes, il n'y avait plus une bride. Ce sont là les petites ruses des bonnes sœurs; elles sont comme les fourmis, qui doivent toujours rapporter quelque chose.

Que j'étais loin de ces propos et de ces préoccupations ! Rien n'effaçait l'image qui s'était imprimée en moi et qui recouvrait tout.

Je vais dans ma chambre. Je fais ma gymnastique, comme si de rien n'était. Je prends mon bain, comme si de rien n'était. Je me rase, sans me couper. Je m'aperçois que j'ai oublié mon flacon d'eau de toilette : je me servirai de celui que j'ai vu sur la coiffeuse de maman.

Pensant aux baisers que je lui ai donnés, je frotte mes lèvres d'un peu d'alcool. Puis, je rougis de ce geste d'hygiène misérable; je me souviens de ce qu'elle m'écrivait : « Je t'embrasse avec effusion » – les derniers mots de sa dernière lettre.

Après le repas, Paul se rend avec moi au couvent – Paulette, légèrement grippée, s'abstient de sortir aujourd'hui. Il m'a prêté un cache-col noir, qui s'appareille à ma cravate noire.

– J'y pense ! me dit-il en chemin. J'ai rencontré récemment le président Gout, votre ancien voisin, qui m'a demandé des nouvelles de votre mère. Il ignorait où vous l'aviez installée et a pris l'adresse, pour lui rendre visite avec sa femme. Tâchez de les avertir au plus tôt : voyez-vous qu'ils arrivent et la trouvent morte !

Devant le lit funèbre, il a l'air ému : ce spectacle, me dit-il, lui rappelle celui de sa propre mère, à l'enterrement de qui j'avais assisté. Nous évoquons ce souvenir du temps de la guerre.

– Comme elle est grande ! me dit-il, en me montrant la pauvre morte. Regardez jusqu'où vont ses pieds ! et ce qui me frappe, c'est sa ressemblance, maintenant, avec la grand'mère de Paulette, qui était sa tante : elles ne se ressemblaient pas de leur vivant, et elles ont pris les mêmes traits sur leur lit de mort – les traits héréditaires.

Après quelques instants de méditation, il me conseille de chercher les papiers qui seront nécessaires pour les formalités. À Gaillac, pour la mort de la grand'mère de Paulette, n'avait-on pas prétendu refuser le permis d'inhumer, sous prétexte que la défunte ne possédait pas de carte d'identité ? Il faut croire qu'autour de mes cousins, la mort n'allait jamais sans complications. J'avais la certitude que celle de maman n'en causerait pas plus que sa vie. Je savais pourtant qu'elle n'avait pas de carte d'identité : elle venait d'une époque où ce genre de document était inconnu. La sœur me remit sa carte d'alimentation, qui avait été établie à Alet, sans tracasserie, mais ce n'était pas une pièce d'identité. Dans sa commode, je trouvai du moins une carte d'infirmière volontaire de 1914 et, ce qui était plus important, son extrait de naissance.

On sonne. La sœur, qui était avec nous, va ouvrir. Ce n'est pas encore l'employé des pompes funèbres : c'est une des dames. La conversation s'engage à voix basse, dans le couloir, mais, comme la porte de la chambre est demeurée entr'ouverte, nous en avons quelques échos. Il s'agit de moi :

– Enfin ! il s'est décidé à venir ? dit la dame qui, apparemment, était absente ce matin.

Ce n'est pas la voix de la générale H..., la seule pensionnaire que j'eusse connue, lorsque maman s'était installée. Je comprends vaguement que la sœur tente de m'excuser.

– Allons donc ! fait la dame, que l'indignation empêche de rester discrète. Ne pas croire sa mère en danger, après tout ce qu'on lui avait écrit ! Eh ! qu'aurait-il fallu lui écrire ?

Je regarde mon cousin, en hochant la tête,

comme si je devais m'incliner devant la *vox populi*, même si ce n'était pas la *vox Dei*. Il lève les épaules et me rappelle que je ferais bien de vérifier le contenu de la coiffeuse. Les bijoux de maman, les fameux bijoux sont là, dans leurs écrins de peluche : son beau saphir, cadeau de mariage, et que j'avais su moins beau que je ne croyais, puisqu'il était clair; son alliance et celle de mon père; son collier à boules d'or; quelques perles, des broches, sa montre. C'était tout : ses bijoux faisaient l'éloge de sa modestie.

Paul, d'autorité, prend les écrins et les met dans le tiroir de la commode, qu'il ferme à clé. Il met ensuite la clé dans ma poche.

– Non, dis-je, je ne peux emporter aucune clé de cette chambre. Ce serait insulter ces braves sœurs.

– Emportez donc les bijoux, ce sera beaucoup mieux. Si les sœurs se sentent insultées, c'est qu'elles fouillent les tiroirs. D'ailleurs, regardez : vous leur laisserez un écrin vide, celui des boucles d'oreilles.

On sonne de nouveau. La sœur vient nous annoncer notre visiteur. Il nous attend au salon. L'employé me salue gravement, sans affectation. C'est un homme jeune et de bonnes manières. Nous nous asseyons. Il déplie sur la table une grande feuille à l'en-tête de la mairie et me demande « les renseignements d'usage sur la défunte ». Il copie les indications portées sur le bulletin de naissance, complétées par celles de la Croix-Rouge. Il me demande s'il n'y a pas de livret de mariage; je lui dis que non.

— Ah oui ! c'est vrai, dit-il. Quand Mme Peyrefitte s'est mariée, il n'y avait pas de livret de mariage.

Il me demande ensuite combien d'enfants elle a eus, et il inscrit : « Un mort, un vivant. » Il fera la déclaration de décès, il enverra le médecin de l'état civil et l'employé de la mairie.

À présent, il parle métier :

— Il s'agit, n'est-ce pas, d'un transport en fourgon automobile, jusqu'à Alet (Aude) ? Cent kilomètres environ, d'après la carte. Vous pourrez user de la voiture : la place près du chauffeur est bonne. Il y a aussi trois places sur une autre banquette.

« Voyons maintenant les formalités à Alet. Je téléphonerai à M. le curé et à M. le maire. Je suppose qu'il ne peut y avoir aucune difficulté quant à l'ouverture du caveau, puisque, naturellement, vous êtes connu là-bas. Je proposerai de fixer la cérémonie à lundi ou à mardi et, suivant la réponse, nous arrêterons la date de la mise en bière. De toute façon, M. le curé pourra annoncer le décès à la messe de dimanche. Quelle classe de cérémonie ?... Bon.

» Pour la bière, voulez-vous quelque chose d'exceptionnel, à poignées de bronze et intérieur capitonné ?

— Allons donc ! dit Paul. Le luxe est ici tout à fait déplacé, et du plus mauvais goût. Prenez ce qu'il y a de mieux en bois de chêne : cela suffit.

— Je propose alors, dit l'employé, le modèle

nº1 avec poignées argentées et crucifix sur le couvercle.

– Voilà ! dit Paul.

J'acquiesce. L'homme fait ses calculs pour l'ensemble des dépenses. Je me déclare d'accord sur le chiffre.

– Il faut, dit-il, que j'aille dans la chambre, afin de me rendre compte des dimensions de la bière.

Je suis content que la sœur y soit restée : cela fait bonne maison.

L'employé s'incline devant le lit et murmure :

– Je vois ce qu'il faut.

Il ajoute :

– Dans cette température, on peut attendre lundi.

S'adressant à la sœur, il lui demande s'il y a ici une règle pour l'heure de la mise en bière.

– Dans les cliniques, explique-t-il, on ne procède à une mise en bière qu'à neuf heures du soir, parce qu'il y a alors moins de monde dans les rues.

La sœur lui répond qu'il n'existe, dans la communauté, aucune règle de ce genre. Il se retire avec dignité. Je lui ai serré la main, en lui disant, je ne sais pourquoi : « Merci. »

Paul vient s'asseoir près de moi.

– Je devine, me dit-il, que vous n'avez pas vu souvent des morts dans leurs lits. Moi, je ne compte plus ceux que j'y ai vus, hélas ! En somme, vous n'avez eu ce spectacle que pour vos père et mère. Dans la famille de Paulette et dans la mienne, j'ai vu mourir à peu près tout le monde. La mort d'une mère est évidemment quelque chose à part. Mais dites-vous bien que votre mère ne vous a pas quitté : elle est en vous, désormais.

— Mon regret n'est pas seulement qu'elle soit morte, mais que, précisément, je ne l'aie pas vue mourir.

— Si vous étiez arrivé hier, vous auriez le regret de ne pas être arrivé plus tôt, et si vous étiez arrivé plus tôt, vous ajouteriez à tous vos regrets des souvenirs pénibles : ceux de sa maladie. En réalité, vous auriez dû arriver il y a un mois, pour profiter vraiment d'elle. Mais vous seriez reparti en janvier, tout à fait tranquillisé sur son compte, et vous n'auriez pas cru davantage à mon télégramme. Je dirai mieux : ma pauvre tante a peut-être été plus heureuse de savoir que vous veniez que de vous savoir là. Elle vous a épargné les fatigues, les disgrâces de sa mort. Vous n'avez rien vu de son agonie : vous ne voyez que son repos. Vous ne l'avez pas vue mourir : vous l'avez vue morte. Elle n'est plus une malheureuse femme que broie la nature; elle a pris la dignité des statues.

« Permettez-moi de vous donner un conseil : n'exagérez pas votre douleur, au moins en vous estimant obligé de rester ici. Je ne vous prêche pas l'égoïsme; je tiens, au contraire, à vous avertir que c'est pour vous que vous restez et non plus pour votre mère. Pour elle, tout est fini.

— Pas pour moi, dis-je.

— C'est bien ce que j'entendais. Mais dans

cela, mon cher Roger, je ne vous serais d'aucun secours : vous avez besoin de faire un long monologue.

Il sort, au bout d'un moment. De nouveau, je suis seul. Les paroles ont cessé de s'interposer entre maman et moi. Il me semble la voir plus clairement – plus lucidement – encore que ce matin. Il me semble que j'ai manqué, non pas à un certain nombre de choses, mais à toutes celles que je lui devais.

Que ne lui devais-je pas, en effet ? Et de quelle façon me suis-je acquitté ! « Tu es un bon fils », me disait-elle quand je lui faisais un cadeau, comme quand je l'accompagnais à la promenade. Les moments que je lui avais consacrés, les cadeaux que je lui avais faits, n'avaient pu prouver qu'à ses yeux que je fusse un bon fils.

Je dénombre les liens innombrables tissus, entre elle et moi, par tant d'années et qui viennent de se rompre. Je rappelle mes souvenirs les plus anciens : tout enfant, j'avais failli me tuer en tombant, au jardin, sur un cercle détaché d'un tonneau d'oranger, qui m'avait blessé à la tempe. Si l'enfant de Virgile commence à connaître sa mère par le sourire, ce sont les larmes et les baisers de ma mère qui ont marqué ce jour-là dans ma vie. Je la vois me panser mes genoux pleins de sang et de poussière, lorsque je tombais de bicyclette. Je me rappelle ensuite tous ses soins au cours de mes maladies : quelle était sa complaisance, sa patience, sa douceur ! Elle craignait sans cesse que je ne prisse froid. Mon premier acte d'indépendance envers elle fut de rejeter les flanelles. J'étais alors au collège et lui dis, pour la rassurer, que mes camarades n'en portaient pas et ne mouraient pas.

Tout ce que je lui ai dit, elle l'a toujours cru. Elle a toujours cru que j'allais à la messe le dimanche et que, chaque année, je faisais mes pâques, après avoir plus ou moins respecté le carême : elle le croyait, parce que j'avais à peine à le lui faire croire. Pouvait-elle douter de son fils en quoi que ce fût ? À la mort de mon père, une de nos parentes, qui plaidait contre son propre frère, avait conseillé à maman de prendre « des précautions de finances » envers moi, « car on ne savait jamais ce qui pouvait arriver dans les familles ». Maman avait beaucoup ri, en me rapportant ce propos. Elle avait foi en moi, de la même façon qu'elle avait la foi.

Je me rappelle aussi trois petites circonstances, où elle a peut-être douté de moi l'espace d'un instant. Ce sont également de très anciens souvenirs d'enfance : dans tout le reste de ma vie, je n'ai eu d'autre souci que de lui laisser ses illusions.

Le premier de ces souvenirs est celui de ma première mauvaise action et qui fut la dernière de ce genre. Je devais avoir cinq ou six ans. J'accompagnais maman dans une confiserie, où elle fit des emplettes. Pendant que l'on s'affairait avec elle, je subtilisai une prune confite, que je gardai précieusement dans le creux de la main. À quelques pas de la boutique, je fus tout fier de montrer mon butin à maman : je m'attendais à être loué de mon habileté ou, au pis, grondé de ma malice. Je vois encore son visage rougir de honte. Sans un mot, elle me fit faire promptement demi-tour, rentrer avec elle dans le magasin, et jamais certainement je n'aurai eu tant de honte qu'au moment où elle dit :

— Vous excuserez mon fils, qui a dérobé un fruit; il vous le rapporte, afin que cela lui serve de leçon.

Lors de l'autre incident, je devais être à peine plus grand et m'amusais près d'elle sur la terrasse. Ma passion d'enfant était vouée aux chemins de fer. J'en avais une collection remarquable. Je n'arrivais pas à m'en lasser, et comme on était sûr de m'être agréable en m'offrant ce jouet, c'était le cadeau que je recevais à toute occasion. Le plus modeste me causait autant de joie que le plus coûteux. D'ailleurs, je n'aimais pas moins les chemins de fer dans la réalité; dès mes premiers ans, je demandais à ma nourrice de me promener du côté des gares. Je n'ai jamais compris ce que signifiait ce goût, que je laisse à expliquer aux psychiatres, car je n'ai jamais aimé les voyages. Si je suis entré dans la carrière diplomatique, c'est par le goût que l'on peut avoir à vingt ans pour la vie mondaine; si je me suis fait nommer en Grèce, c'est par le goût que j'avais pour l'antiquité; si j'ai voyagé en Grèce plus que personne, ce n'était pas non plus par goût des voyages.

Quoi qu'il en soit, ce jour-là de mon enfance, un de mes chemins de fer déraillait avec obstination. Voulant manifester ma rage, tout en épargnant mon jouet, je levai le poing vers le ciel : n'était-ce pas Dieu, l'auteur de cette catastrophe ? Maman posa son ouvrage et m'appela. Ce n'était pas pour me battre : pas plus que mon père, elle ne m'a jamais battu, ni même souffleté; mais d'un air de profonde tristesse, elle me demanda si je me rendais compte de ce que j'avais fait.

— Oui, dis-je farouchement.

— Mais non, ce n'est pas possible. Tu viens de faire un geste sacrilège; tu as insulté le bon Dieu. Tu n'as pas voulu cela.

— Mais si ! je l'ai voulu !

— Eh bien ! demandes-en pardon tout de suite.

Je refusai d'obéir et me mis à pleurer, comme pour noyer dans les larmes à la fois mes remords et ma désobéissance. Elle me renvoya doucement :

— C'est moi qui vais demander pardon à ta place.

Je m'éloignai, revenant à mon chemin de fer : ma crise de larmes et de sacrilège était calmée. Mais je vis qu'à présent, c'était ma chère maman qui pleurait et je l'entendis murmurer :

— Mon Dieu, pardonnez à cet enfant ! Vous savez bien que je ne puis avoir un fils sacrilège.

Mon dernier souvenir de ces temps-là ne me la montre ni en pleurs ni rougissante; il s'agissait d'une chose sur laquelle sa pensée ne pouvait s'arrêter et sur laquelle elle aurait craint d'arrêter la mienne. Ma bonne m'avait surpris en train de jouer à autre chose qu'au chemin de fer, avec une petite fille de mon voisinage. J'avais neuf ans : en fait, j'ignorais à quoi je jouais; telle fut l'opinion de maman, qui vit là moins de précocité que d'innocence. Elle déclara qu'on allait m'éloigner des petites filles mal élevées, et ce fut l'année où l'on me mit au collège.

À travers tous ces souvenirs, n'est-ce pas moi que je pleure ? Mon cousin ne manquerait pas de me le faire observer, mais n'est-il pas naturel qu'il en soit ainsi ? C'est une partie de ma vie qui disparaît avec ma mère. Je suis le dernier témoin de mon passé; il n'y a plus personne après elle, pour me rappeler ce que je fus, ce que j'ai aimé à cause d'elle, à côté d'elle, loin d'elle, malgré elle. C'est aujourd'hui que je me représente dans toute sa plénitude ce que signifie ce mot « maman », que j'ai eu le bonheur de pouvoir prononcer pendant près de quarante ans.

La supérieure et deux autres sœurs ouvrent la porte. Elles me saluent d'un signe de tête, s'agenouillent sur le tapis et font une prière. Leur discrétion me plaît : elles prient tout bas, au lieu de saisir l'occasion d'une manifestation solennelle. Elles se relèvent. La mère supérieure me dit :

– Cette nuit, les deux sœurs veilleront Mme Peyrefitte.

Je les remercie.

– Oh ! ce n'est rien, dit l'une d'elles : nous avons l'habitude.

Leur piété est aussi modeste que discrète.

Elle semble affecter les dehors d'une simple habitude, pour ne pas déranger mes propres habitudes : on me dispense de veiller, et j'accepte sans protestation. J'étouffe mes reproches, en me disant qu'apparemment, je n'aurais pu remplir ce devoir : dans un couvent de religieuses, un homme ne doit pas être autorisé à passer la nuit.

— J'ai décidé, ajoute la supérieure, que deux sœurs vous accompagneraient à Alet, si vous le permettez. Puisqu'il y a des places dans le fourgon, cela ne gênera personne; ce sera un dernier soin qu'elles rendront, en notre nom, à la pauvre dame.

Rien ne pouvait me toucher davantage : cette « décision » paraissait confondre maman avec les autres membres de la communauté; on estimait qu'elle lui appartenait, autant qu'à moi-même.

— Vous allez, dis-je, au-devant de mes désirs, et sans doute au-devant des siens : les compagnes de ses derniers jours seront son plus beau cortège.

— En tout cas, elle nous aimait bien. Je regrette qu'elle n'ait pas connu notre maison de Pompignan, où elle espérait passer l'été. Elle y était attirée, parce qu'elle avait entendu dire qu'il y avait un beau parc. Le château aussi est très beau. Mais vous, monsieur, vous viendrez à sa place. Vous verrez la chambre où Lefranc de Pompignan écrivait ses poèmes, et la terrasse où il s'inspirait en regardant le ciel. Quand je dis : « Vous viendrez », je ne veux pas dire, évidemment, que ce serait pour un séjour. Mais vous coucheriez chez les pères jésuites, qui ont une propriété dans le voisinage, et qui sont très accueillants.

Les sœurs s'en vont. Je m'apprête, à mon tour, à m'en aller. Je mets le télégramme dans ma poche, en vue de la réclamation que je compte faire, moins pour obtenir un remboursement qu'une explication. Mais, à la réflexion, je préfère le laisser sur la table, comme si c'était moi qui restais et comme j'avais laissé sur ma table, à Paris, l'autre télégramme.

De chez mes cousins, je téléphone à une de nos proches parentes, qui habite à Foix, et lui demande de se rendre à Alet : elle ne peut se déplacer, sa voiture est en réparation. Je téléphone ensuite à mes amis Castries, qui m'avaient vu inquiet pour maman, quand elle était à Nîmes. Je ne voulais que leur apprendre la nouvelle : avec une générosité de cœur que je n'oublierai pas, René s'offre spontanément à venir. Ce serait une douce ironie du sort que la plus humble des femmes eût un duc à ses obsèques. Je le remercie et lui assure que je préfère rester seul.

À table, Paul me dit son étonnement que ma mère fût si âgée :

– Elle prétendait avoir soixante-quinze ans. Innocente coquetterie !

– Chez les vieillards, dit sa femme, cacher son âge n'est pas coquetterie : c'est désir de se cacher la vérité.

– C'est peut-être également désir de ne pas alarmer ceux qui les aiment, dis-je.

– Nous nous cachons tous quelque chose,

dit Paul, que ce soit par coquetterie, par charité ou par pudeur.

Je jugeai honorable d'exprimer le regret de ne pas veiller maman.

– Eh ! quel regret ? dit ma cousine. Que voulez-vous que cela fasse à une pauvre morte, qu'on la veille ou non ? Nous n'avons pas veillé ma belle-mère et nous avons même interdit qu'on la veillât : les gens de service ne demandent à veiller les morts que dans l'espoir de filouter. Au couvent, c'est l'affaire des sœurs de veiller, de prier, bref, de vous remplacer.

Je rapporte les propos qui m'ont été tenus, au sujet de la solitude dont maman avait souffert. Ma cousine aurait pu me demander si j'aurais été très empressé à l'égard de sa mère ou de celle de son mari. Mais elle eut la courtoisie de ne pas retourner contre moi les armes pointées contre elle :

– Je ne m'étonne pas de ce que vous dites, mais je m'étonne que ce soient les sœurs qui vous l'aient dit. Savez-vous qu'elles avaient défendu aux dames de se réunir dans leurs chambres ? Celles-ci devaient, pour se rencontrer, saisir le moment où les sœurs étaient à la chapelle, et leur rencontre se faisait, justement, dans la chambre de votre mère. Cette petite conspiration la divertissait beaucoup, mais il fallait passer le reste de la journée, jusqu'à l'heure du repas, qui réunissait, de nouveau, sans obstacle, ces conspiratrices à cheveux blancs.

J'étais confondu et demandai si tant de mesquineries étaient imaginables.

– Imaginables ou non, c'est comme je vous le dis. Votre mère voulait d'ailleurs vous en parler, dans l'espoir que vous feriez honte aux bonnes sœurs d'un règlement aussi absurde et aussi tyrannique. Ah ! mon cher, je me tue à vous dire que vous ne connaissez pas les couvents.

– Tout règlement a une raison d'être, même si elle est absurde; mais pour celui-là, je ne vois que de la tyrannie. Que prétendait-il empêcher ?

– Évidemment pas les amitiés particulières.

– Il faisait de ces pauvres dames des conspiratrices malgré elles : qu'auraient-elles pu conspirer ?

– Derrière les murs de ces maisons, la moindre confidence prend l'air d'une conspiration.

Je regagnai ma chambre. Une fois allongé dans ce lit douillet, une bouillotte à mes pieds, des pastilles brûlant pour corriger certaine odeur de peinture (on venait de repeindre chez mes cousins : nous nous étions donné le mot, dans la famille), je me sentis envahi peu à peu, non, certes, par la mollesse, mais par le désespoir. Ce confort, ces mignardises, me paraissaient une offense. Je songeais à tout ce que j'avais perdu : j'avais tout perdu. Où était, maintenant, la pauvre morte ? Était-elle là-bas, sur sa couche mortuaire ? Était-elle ailleurs, comme la sœur avait dit ? Était-elle ici, près de moi, en moi, comme avait dit mon cousin ? Quelque chose, en tout cas, me dit que je ne puis douter de sa présence et qu'elle me pro-

tégera mieux que ne me protègent à Paris mes
dieux de pierre. Mais quelque chose me dit
aussi qu'elle plaint ma triste solitude, plus que
je n'ai eu à plaindre la sienne, et je crois
l'entendre murmurer ce mot, familier à sa
tendresse : « Pauvre petit ! »

Je me souviens des principales occasions où
elle le prononça. « Pauvre petit ! » lorsqu'à
dix-sept ans, j'avais failli me brouiller avec
mon père et quitter la maison. « Pauvre
petit ! » lorsqu'il mourut, il y a six ans : c'est
sur moi et non sur elle qu'elle s'affligeait, à
l'idée que cette perte rendait mon avenir incer-
tain. « Pauvre petit ! » lorsqu'elle avait eu ses
crises à Toulouse et qu'elle avait failli mourir :
c'est encore à moi qu'elle pensait. « Pauvre
petit ! » lorsqu'elle me voyait tourmenté par
une aventure sentimentale à laquelle elle
n'avait rien compris, ou absorbé par une œuvre
qu'elle ne comprenait pas davantage. Et cependant, elle semblait résumer ainsi l'expérience
d'une sagesse millénaire et me commenter,
par deux simples vocables, ce que disait d'un
mauvais fils le plus divin des auteurs antiques :
« Pour le vain amour d'une maîtresse, son
amie de fraîche date, et qui ne lui est rien…
pour le vain amour d'un ami de fraîche date…
il sacrifie la vieille amitié de celle qui lui est
tout, sa mère. »

« Pauvre petit ! » Que de choses me dit ce
mot aujourd'hui ! Que de regrets il exprime
et me laisse ! Celle qui le disait savait qu'un
jour j'en devinerais le sens. Quand elle m'excusait de ne pas être auprès d'elle, elle n'en

aurait pas moins aimé que j'y fusse; quand elle déclarait que je ne pouvais pas, peut-être ne devinait-elle pas moins que j'aurais pu. Jamais, à Toulouse, elle ne m'a demandé de l'accompagner à la messe (j'étais censé y aller de mon côté); mais il lui aurait été doux d'y aller avec moi. Jamais elle ne m'a reproché mon silence, lorsque je tardais à lui donner de mes nouvelles : elle ne faisait que s'en inquiéter. Je rougis de penser à l'énervement que me donnait parfois cette obligation de lui écrire. Sous prétexte qu'elle avait le génie de me déchiffrer et qu'aussi bien, cela l'occupait, je bâclais souvent des lettres illisibles. Jamais non plus elle ne me le reprochait. Elle s'excusait, au contraire, lorsque la faiblesse rendait moins lisible sa propre écriture. Lui en faisais-je l'observation, en m'inquiétant de son état ? Je remarquais, dans sa réponse, l'effort qu'elle s'était imposé pour me rassurer, raffermissant sa main, comme elle eût redressé sa taille.

Le mot que j'évoquais contenait la somme de tous ces reproches qu'elle ne m'avait pas faits, la somme de toutes ses complaisances, de tous ses sacrifices. Mais il contenait, en même temps, son pardon et l'idée que mes actes étaient ceux d'un enfant. Il représentait la nuance triste de « Quel enfant ! » qui caractérisait des choses moins préoccupantes. Un enfant, je l'étais un peu à mes propres yeux, tant que ma mère existait. À partir d'aujourd'hui, je ne suis plus, hélas ! qu'un homme.

Est-ce parce que je suis un homme, que je ne repousse pas d'autres idées, qui, depuis un moment, m'assaillent, en vue de me consoler ? La plus horrible de toutes et que je n'avoue pas sans rougir : me voici dispensé de la modique rente que je faisais à ma mère. Mais n'est-ce pas ce qui correspond, dans la circonstance, à « la douceur d'hériter », consolation suprême chez les auteurs classiques ?

Une idée plus relevée est que j'aurais pu mourir avant ma mère et l'affliger doublement parce que ma mort lui aurait appris. M., à qui je montrais ma collection de *curiosa*, antiques et modernes, m'avait dit : « Avez-vous pensé que, si vous mouriez, votre mère verrait tout cela ? » Une autre idée, enfin, est que je suis désormais plus libre de voyager, de vivre : je ne devrai qu'à moi-même compte de mes actes; personne que moi n'en paiera les conséquences.

Mais autant d'idées, autant d'illusions : de toutes mes dépenses, les plus douces étaient celles que je faisais pour maman; de ma mort, elle serait morte, sans se soucier des étrangetés ou des légendes que j'aurais laissées; de ma liberté, je n'aurais jamais pâti, sans trouver auprès d'elle seule mes vraies consolations.

Le lendemain matin, dimanche, l'employé des pompes funèbres téléphona qu'il avait pu s'entendre avec « M. le maire et avec M. le curé d'Alet ». L'enterrement était fixé à mardi, 11 heures; la mise en bière aurait lieu lundi.

Je sors pour aller au couvent : ce sera ma façon d'aller à la messe.

La chambre est glacée. La mort s'y respire et s'y contemple. Hier, ce fut peu à peu que l'affreuse réalité s'en imposa à moi. Tour à tour, les étrangers et le décor avaient pu, un instant, me voiler cette autre présence. Maintenant, j'étais entré ici tout seul; c'est moi qui avais ouvert la porte de la chambre et, dans la pénombre froide, je voyais seule devant moi ma mère morte.

L'aspect de ses mains me frappa : on les aurait crues de cire; elles avaient cessé d'être des apparences de mains. J'étais bien en droit de dire : « Pauvre maman ! » plus qu'elle n'avait jamais dit : « Pauvre petit ! »

Je ne m'assieds pas sur une des chaises, mais dans son fauteuil, qui me rappelle la rue des Fleurs. C'était son siège favori; elle avait choisi elle-même l'étoffe dont nous l'avions fait recouvrir – une jolie soie à raies blanches et roses, qui seyait au style de cette bergère. On lui avait installé ce meuble dans la salle à manger, qui était la pièce la plus ensoleillée de l'appartement. Combien de fois l'ai-je vue là, en train de lire son journal ou ses livres pieux, de regarder les perruches, dont la cage était placée sur une encoignure, ou, à l'heure des repas, de guetter mon retour au coin de la rue ! D'en bas, je levais les yeux vers cette fenêtre du premier étage, et il était bien rare que le doux visage ne fût là pour m'accueillir.

Dans ce fauteuil, je l'ai vue le plus souvent heureuse et gaie, car elle était gaie : elle aimait à rire et renversait alors sa tête en arrière contre le dossier – sa tête au beau front. Un jour, je la vis en pleurs. Je savais qu'il lui arrivait de pleurer, lorsqu'elle pensait à mon père, mais elle s'en cachait, comme pour ne pas m'affliger moi-même à ce souvenir. Cette fois, elle pleurait, parce que je venais de vendre les immeubles hérités de lui, et qu'elle était d'une génération où il n'y avait pas de fortune bien assise sans immeubles. Elle ne se rendait pas compte que ce qui avait été une honnête fortune du temps de mon père, n'était plus grand'chose aujourd'hui. Je ne lui tins évidemment pas ce raisonnement; mais avec quelle gentillesse, elle se laissa vite convaincre que j'avais bien fait de vendre ces immeubles ! Un autre jour, je la trouvai qui pleurait, en regardant la cage. L'une des perruches gisait morte; sa compagne, misérable, hagarde, se tenait immobile sur le perchoir. Je m'approchai de maman, l'embrassai :

— Vous pleurez pour une perruche ?

— Je suis triste, à cause de celle qui continue de vivre. Je pense à ce que sera ta vie, quand je ne serai plus là.

Il m'est arrivé aussi de la voir en colère, vraiment toute rouge de colère, sur le dossier de ce fauteuil. Il y avait, au hasard des circonstances, ses gentilles colères contre les choses et qui se traduisaient par l'expression : « Ah ! ça, mais... » – un verrou qu'elle ne pouvait ouvrir, comme je disais, une épingle double qui ne fermait pas, un vase de fleurs qui débordait, un couvert qui tombait, le vent qui l'avait enveloppée au coin de la rue des Azes, la pluie qui l'avait surprise sans parapluie.

Ses grandes colères dans son fauteuil étaient contre les personnes. Pas contre moi, certes ! Contre notre cuisinière, qui lui avait joué un tour pendable; contre le Quai d'Orsay, qui s'était privé de mes services; contre M. qui m'exhortait à ne pas publier *les Amitiés particulières*; contre mon futur éditeur, qui ne répondait pas à mes lettres; contre les Anglais qui avaient menacé, disait-on, de bombarder Toulouse : « Ah ! les coquins ! » s'écriait-elle. Elle disait plus volontiers le même mot à l'égard des Allemands, lorsque, la presse rapportait qu'ils bombardaient les villes anglaises. Du reste, les horreurs de la guerre ne l'émouvaient que pour autrui : même lorsqu'elle n'en était plus éloignée, ce n'est pas pour elle qu'elle les craignait. J'avais regagné Paris, quand eut lieu enfin le bombardement de Toulouse. Il fit, d'ailleurs, peu de dégâts et de victimes, mais les habitants de la ville rose pensèrent que leur dernière heure était venue. Maman fut conduite dans un abri : elle étonna tout le monde par son sang-froid. Elle avait même ri de sa bonne qui, sur une indication recueillie au marché, s'était couvert la tête d'un immense chaudron pour se protéger contre les bombes. Cette tranquillité devant le danger, maman ne la tenait pas d'une aimable inconscience, mais de sa foi. Non pas qu'elle s'imaginât être l'objet de faveurs spéciales, mais elle se savait toujours en état de paraître devant Dieu.

Une de ses dernières grandes colères qu'elle me relata, fut contemporaine de la Libération : les vagues fonctions diplomatiques que j'avais reprises à Paris, avaient fait croire, à Toulouse, que j'avais dû partir pour Sigmaringen. Elle savait que rien ne me destinait à faire ce supplément de voyage et le nom de Sigmaringen l'avait mise hors d'elle sans qu'elle s'inquiétât de moi.

Ces souvenirs où mon esprit s'attardait, conjuraient un peu la vision de ce lit. Je cherchai à rester dans cette voie qui me rappelait la paisible existence de maman.

Mes yeux se fixèrent d'abord sur sa boîte à ouvrage. J'en soulevai le couvercle et il me sembla qu'elle le soulevait avec moi : aux capitons de satin rouge, usés par les ans, étaient épinglées les aiguilles que sa main avait touchées; les petits ciseaux, à poignée en forme d'ailes, étaient là où elle les avait posés; il y avait les boutons de nacre, le dé d'argent. Elle avait un principe : c'est qu'il ne fallait pas coudre le dimanche.

J'ouvris ensuite le tiroir de la table, dans lequel était rangé son sous-main. Je trouvai ce papier à lettres qui était surtout destiné à m'écrire, ces enveloppes qui auraient dû si longtemps encore porter mon adresse. Il y avait également les cartes de visite de quelques dames titrées, que maman avait connues dans un couvent de Nîmes. Je l'avais taquinée de garder ces cartes, plutôt que d'autres. C'est vraiment le seul petit accès de snobisme que je lui aie vu et qui lui vint sous l'aile des sœurs. Elle gardait aussi toutes les lettres qu'elle recevait, pour me les faire lire à mes retours de voyages. Certaines de celles que je lisais aujourd'hui étaient toutes récentes : une dame, qu'elle avait connue à Nîmes, lui envoyait des détails sur son installation à Cannes et ajoutait en finissant : « Envoyez-moi vite une longue lettre » – cri éploré de la vieille personne à qui nul ne s'intéresse. Une de nos parentes lui apprenait que, d'après les déclarations de l'impôt de solidarité, telle autre de nos parentes était « vingt-sept fois millionnaire ». Le curé d'Alet la remerciait de l'envoi d'une somme pour des messes. Il y avait enfin une carte postale : celle du château de Pompignan, où elle n'aurait jamais vécu.

La clochette retentit. C'est l'heure du repas. J'entends peu après les dames trottant à pas menus dans le couloir. Je me demande si l'on ne va pas entrer. « Je dois toujours défrayer la chronique », me dis-je. Ce n'est pas une des dames qui entre, mais sœur Marie du Rosaire. Je lui apprends ce que m'a annoncé l'homme des pompes funèbres.

– Puisque nous sommes seuls, me dit-elle, me permettrez-vous de vous faire part d'une confidence de Mᵐᵉ Peyrefitte ? Elle souhaitait beaucoup vous voir marié; elle avait même formé un innocent complot, pour vous inspirer le goût du mariage par la vue des enfants. Parmi ceux qu'elle voyait à la garderie, une fillette notamment l'avait prise en amitié, et Mᵐᵉ Peyrefitte me disait : « Quand mon fils sera là, vous m'amènerez la petite, comme par hasard. Je suis sûre que cette vue l'attendrira et le fera songer au mariage. »

Indépendamment de cette idylle, j'avais sur le cœur l'histoire de claustration, dont m'avait parlé ma cousine et je demandai à mon interlocutrice ce qui en était.

– Ce n'est pas tout à fait cela, me dit-elle en souriant. Il n'y a aucun règlement pour les dames, mais seulement pour nous. Ce qu'il y a, en revanche, c'est qu'une de ces dames – permettez-moi de ne pas la nommer (la sœur leva les yeux vers le plafond et je savais que la chambre de la générale était au-dessus) – s'est montrée tellement insociable, que nous avons dû la prier de se tenir plus tranquille. Elle passait son temps à récriminer contre nous et contre tout avec les dames. La charité nous empêche de la renvoyer avant que l'hiver soit fini – elle a, d'ailleurs, été renvoyée de toutes les maisons de retraite et de tous les couvents de la région et elle est fâchée avec presque toute sa famille. Nous n'y pouvons rien, mais nous n'aimons pas les dames qui n'ont pas bon esprit : songez qu'elle m'a fait changer six fois une lampe électrique !

Mystère des couvents. La générale m'avait paru un boute-en-train, plutôt qu'un trublion.

– Si Mme Peyrefitte a pu se plaindre de la solitude, comme je vous l'ai dit moi-même, ce n'est pas à cause de nos règlements. Elle était la moins ingambe de nos dames; les autres vont en ville faire des courses, voir des parents : elle sortait peu et se trouvait seule. Elle ne souhaitait que davantage des visites qui étaient rares. Parfois, nous la conduisions à la promenade; parfois, je dois le dire, la générale l'y conduisait, mais nous remarquions que cette dame la fatiguait, plus qu'elle ne la distrayait.

Paul n'avait pas été à la messe, à cause du froid. Il se sentait grippé – sans doute avait-il été gagné par le mal de sa femme. Il regrettait, dans ces conditions, de ne pouvoir m'accompagner à Alet. Je l'excusai volontiers, soupçonnant que, s'il n'avait eu la grippe, il aurait eu autre chose. Il mit une espèce de franchise à confirmer mes soupçons :

– J'espère, mon cher Roger, que vous ne m'en voudrez pas. Je m'enrhume toujours dans les cimetières et, surtout en hiver, je suis obligé d'être prudent.

Paulette déclara que, de son côté, elle regretterait de ne pas me tenir compagnie après-demain : sa propre grippe n'était pas encore bien guérie et elle sentait poindre une crise de foie.

Elle prit sur elle, en tout cas, de m'accompagner au couvent. Je lui racontai ce que m'avait dit sœur Marie du Rosaire, au sujet de la prétendue claustration.

– Si vous vous imaginez, dit-elle, que la vérité sort de la bouche des sœurs !... Notez que je me crois bonne catholique, mais je me méfie, comme de la peste, de tout ce qui fait profession.

Nous entrâmes par la porte de la garderie. Des enfants lisaient, dans une pièce tapissée de tableaux éducatifs. Je demandai à sœur Marie du Rosaire laquelle des petites filles avait eu part à l'affection de ma chère maman. Elle appela une gentille brunette de quatre ou cinq ans, à l'air angélique.

– Ce monsieur, lui dit-elle, est le fils de la bonne Mme Peyrefitte, qui te gâtait si souvent.

– Elle n'est plus là, la bonne Mme Peyrefitte ?

– Non, elle est montée au ciel.

La fillette, enchaînant avec l'objet de ses préoccupations :

— Le père Noël est descendu du ciel et m'a repris mes jouets.

— Et pourquoi donc ? dit la sœur.

— Parce que je n'étais pas sage.

— Dès que tu seras plus sage, le père Noël redescendra du ciel et te rendra tes jouets.

J'embrassai l'enfant que maman avait dû beaucoup embrasser et à qui elle avait dû parler, aussi naturellement que la sœur, le même langage. Pour elles trois, il ne pouvait être question que de monter au ciel et d'en descendre.

À vrai dire, il serait abusif de conclure que ma mère avait la naïveté d'un enfant; mais cette naïveté lui plaisait, comme un état idéal qu'elle aurait souhaité plus réel, ou comme le souvenir des mes naïvetés d'enfant.

Dans la chambre, ma cousine s'agenouille, le front baissé, et fait une prière. Puis elle s'assied, et je vois que ses yeux sont humides. Elle tire un mouchoir de sa poche, mais ce n'est pas pour s'essuyer les yeux : c'est pour se moucher. N'est-ce pas, du reste, l'accompagnement naturel des pleurs ? On se mouche, partout où l'on pleure. Maman se mouchait, quand elle pleurait.

On frappe. Entre la générale H., appuyée sur sa canne. Elle bénit le lit avec le rameau d'olivier, nous salue, ma cousine et moi, et m'offre ses condoléances :

— Je sais, monsieur, combien vous aimiez votre mère et combien elle vous aimait. Ah ! il fallait l'entendre dire : « Mon fils ! » On sentait qu'elle avait tout dit. Je devine votre chagrin de ne pas être arrivé à temps auprès d'elle. J'ai entendu des personnes s'étonner que vous ne fussiez venu plus tôt et supposer indignement que vous abandonniez votre vieille mère, comme le font, hélas ! tant de fils ! Je leur répondais : « Si vous l'aviez vu se comporter avec elle, comme je l'ai vu, vous ne parleriez pas de la sorte. » Savez-vous, monsieur, quelle autre preuve j'ai eue de vos attentions envers votre mère ? C'est que vous n'avez jamais oublié, quand vous lui écriviez, de m'envoyer aimablement le bonjour. Je n'ai pas douté que ce ne fût pour elle, plus encore que pour moi, car vous lui donniez ainsi le plaisir et le prétexte de me parler de vous.

Elle avait dit ces mots, sur le ton de circonstance, mais elle continua, sur ce ton décidé que je lui connaissais, et qui avait amusé bien des fois ma pauvre maman :

– Ce que j'ai répliqué à votre sujet aux personnes malveillantes, je l'ai fait vertement, croyez-le bien. Nous sommes à une époque où il faut répliquer vertement : pour mon compte, je n'y ai jamais manqué. Votre mère avait quatre-vingt-deux ans : eh bien ! moi, j'en ai quatre-vingt-un, et je lutte sans cesse contre le tiers et le quart.

« Tenez, dernièrement, j'ai reçu un colis que ma fille m'envoyait d'Égypte (ma seconde fille, et non ma fille aînée, avec qui je suis fâchée pour la vie, depuis qu'elle m'a appris, à la Libération, qu'elle avait été dans la Résistance). Ce colis égyptien m'a été remis à moitié vide. J'ai immédiatement été faire une réclamation. Le contrôleur de la poste me connaît, parce que j'ai souvent, bien malgré moi, des réclamations à faire – lettres à retards anormaux, cartes postales maculées, surtaxes indues… « Ah ! c'est encore vous ! » m'a-t-il dit. – « Oui, c'est moi, moi qui suis l'une des personnes qui vous paient pour être ici et pour répondre poliment. » Quand j'eus fait ma réclamation, il a dit : « Le colis était sans doute mal ficelé; ce qui manque a peut-être été retrouvé au fond d'un sac. Je vais faire faire des recherches. Veuillez repasser dans huit jours. » Huit jours après, exactement, j'étais là : « On n'a rien retrouvé », me dit-il. – « J'en étais sûre. Vous n'avez plus qu'à enregistrer, non ma réclamation pure et simple, mais ma réclamation pour vol. » – « Pour vol ? C'est beaucoup dire ! » – « Je maintiens le terme. » – « On dirait, à vous entendre, que la voleuse est ici ! » – « Je vous y prends ! Vous dites « la voleuse » et non « le voleur » : vous savez donc qui c'est ? Je porte plainte contre une voleuse ou, si vous préférez, contre une voleuse et un voleur. » Il fallait voir la mine qu'il faisait et celle des spectateurs.

En l'écoutant, je pensais au plaisant contraste qu'avait fait son caractère avec celui de maman. Elles n'étaient pas plus grandes l'une que l'autre, mais si l'une n'était éprise que de tranquillité, l'autre ne recherchait que les duels : ses cheveux blancs et ses quatre-vingt-un ans faisaient à la générale des armes redoutables.

– Oui, croyez-moi, poursuivit-elle, il faut hardiment protester. On me refusait ma carte d'électrice, sous prétexte que je n'avais pas été inscrite dans les délais. J'ai été à la mairie et j'ai dit aux employés : « Vous ne voulez pas me donner ma carte, parce que vous savez que je suis pour le maréchal. Je viendrai donc vous crier chaque jour, de toutes mes forces : « Vive le maréchal ! » Ils ont fini par me donner ma carte. Mais je n'ai pas voté, monsieur : il n'y avait pas de candidats se recommandant du maréchal ! Heureusement qu'il reviendra bientôt et remettra tout en ordre.

Pendant cette conversation, j'ai reconduit doucement jusqu'à la porte la combative générale. Je la remercie de sa visite et de ses condoléances.

– Monsieur, me dit-elle, je ne cherche pas pour vous de consolations qui seraient vaines : si vous avez un peu de foi, vous y trouverez les seules que l'on puisse espérer dans ces moments-là.

Elle saisit de nouveau le rameau et fait le signe de la croix sur le corps de sa défunte compagne.

J'avais d'abord été choqué par son histoire de colis perdu et sa diatribe politique. Je m'étais même étonné de ce manque de tact; mais ensuite, cela me parut tout naturel : chacun, d'une manière ou d'une autre, luttait contre l'idée de la mort, aussi bien que maman, toute résignée qu'elle était, avait lutté contre la mort. Cette brave dame voulait oublier le malheur auquel elle venait rendre hommage, et elle racontait son histoire, au pied de ce lit funèbre, comme elle l'aurait racontée, il y avait quelques jours, à celle qui maintenant ne l'entendait plus.

Elle lui aurait peut-être reproché son indifférence en matière de politique. Maman ne jugeait des choses et des gens que par rapport à la religion. Il lui avait suffi de savoir que le général de Gaulle allait à l'église, comme le maréchal Pétain. Elle ne s'était jamais souciée de réclamer sa propre carte d'électrice, en vue d'une croisade des octogénaires. Mais je comprenais un peu que la fougue de la générale ne plût guère à des religieuses, qui marchent au son de la clochette et non pas du tambour.

Les visites se succèdent : la supérieure, qui se rend aux vêpres, vient se recueillir devant le lit. Elle échange quelques mots avec ma cousine et, comme hier, elle évoque un trait de la vie de maman. Il est écrit qu'autour de cette morte, on ne parlera que de la vie.

– La pauvre bonne dame ! dit la supérieure, qu'elle avait plaisir à me faire parler des Incas ! (Vous savez que j'ai été longtemps dans une de nos maisons au Pérou.) Je lui disais : « Vous devriez aller là-bas. » – « À mon âge ? » – « Moi qui suis presque aussi vieille que vous, il y a à peine six ans que je suis de retour. Le Pérou est un pays magnifique, qu'il faut avoir vu. Pour moi, il n'y a que la France et le Pérou. » J'ajoutai : « C'est le pays de sainte Rose de Lima, chère madame ! » Elle riait, quand je lui disais que les sœurs péruviennes montent à cheval et fument le cigare.

J'annonce à la supérieure qu'en mémoire de ma mère et indépendamment d'autres dons, je laisserai au couvent ses tableaux religieux, ainsi que divers objets, parmi lesquels sa canne, qui lui servira à elle-même. Elle la prend, la regarde et dit :

– Le pommeau est d'argent. Pauvre Mme Peyrefitte !

Elle s'en va sur ces mots, mais elle a la discrétion de ne pas emporter la canne.

– À propos, dit-elle en se retournant, ne vous inquiétez toujours pas de la veillée; nous nous en chargeons : j'ai organisé un roulement.

Pour montrer à ma cousine que je ne l'oublierai pas, elle non plus, je lui dis que j'ai l'intention de lui donner la coiffeuse. Et c'est sans doute à titre de remerciement, qu'elle reprend son rôle de femme pratique.

Elle ouvre d'abord le tiroir de la table de nuit :

– C'est là que ma tante mettait son porte-monnaie. Il ne faudrait pas le laisser traîner.

Pas de porte-monnaie.

– Vous voyez ! vous voyez ! s'écrie Paulette. L'oiseau s'est déjà envolé. Et le portefeuille, qui était dans le sac à main ?

Elle se précipite sur le premier tiroir de la commode, où nous trouvons le sac à main, qui contient porte-monnaie et portefeuille. Je lui sais gré de ne pas en vérifier le contenu. Apaisée, elle retourne vers la table de nuit, pour refermer le tiroir, mais il faut, préalablement, qu'elle le passe au crible :

– Ces remèdes sont bons à jeter. Le coton peut servir. La tablette de chocolat, c'est toute ma pauvre tante : elle aimait grignoter. Et remarquez qu'elle ne finissait jamais un carré du même coup ! celui-ci n'est qu'à moitié croqué.

De tels propos me sembleraient horribles, s'ils ne me rappelaient l'habitude qu'avait ma mère, en effet, de ne pas finir tout de suite une friandise. C'était peut-être parce qu'elle s'en rassasiait vite, c'était plus sûrement parce qu'elle voulait faire le sacrifice de ne se contenter qu'à demi – en tout cas, ce n'était certainement pas avarice, car ce défaut ne l'effleura jamais : elle avait le sens de l'économie, mais en tant que vertu ménagère. Je me souviens d'un service à café, en Sèvres, qui ornait le buffet de notre salle à manger : sous chacune des tasses, qui étaient renversées, il y avait un demi-carré de chocolat, un bout de sucre, un caramel entamé, qui attendaient leur sort.

Maintenant, Paulette s'attaque à l'armoire. La première chose que nous voyons, est la belle robe de chambre en velours noir, broché d'or, qui était mon dernier cadeau à maman.

– Elle ne sera pas perdue, me dit Paulette : vous en ferez un veston d'intérieur.

Elle pointe ensuite un col d'astrakan :

– Avec ce col, dit-elle, vous qui avez toujours froid aux pieds, vous ferez une chancelière. Mais que ferez-vous, juste ciel ! de tout ce linge ? Vous garderez, évidemment, les draps, les mouchoirs et les serviettes; mais le linge de corps, je vous conseille de le donner aux sœurs – le linge blanc, car elles n'en portent pas d'autre – à moins que vous ne vouliez vous y faire tailler des caleçons. Le linge de couleur, nous le donnerons à mes bonnes.

Que de sacrilèges ! mais sont-ils dans notre

intention ? La vie et la mort se pénètrent, se succèdent; le flambeau se passe avec les nippes; le soldat ramasse l'arme de son camarade et, si c'est l'ennemi qui est vainqueur, il pillera les deux cadavres.

Ma cousine déplie distraitement une chemise.

– Quel travail ! dit-elle. Quelle ravissante broderie ont ces chemises d'autrefois ! Et voyez : le bas est ourlé à jour. Et comme c'est cousu ! Tenez ! je vais vous dire d'où viennent ces chemises : d'un ouvroir de couvent. Il n'y a que là que l'on travaille, que l'on brode et que l'on coud ainsi. N'est-ce pas curieux ? Ces chemises venues d'un couvent y sont revenues.

Estimant tous ses devoirs accomplis, dans le plaisant et dans le sévère, ma cousine se retire. Lorsqu'une fois de plus je suis seul, je m'aperçois soudain qu'il n'y a pas de fleurs dans la chambre. Il était temps de m'en apercevoir ! Avais-je pensé que c'était assez du chétif bouquet qui se flétrissait hier dans un vase et que l'on a ôté aujourd'hui ? ou bien n'ayant guère offert de fleurs à maman dans sa vie, ne me suis-je pas rendu compte plus tôt qu'elle y avait droit dans sa mort ? Ce n'est pas, en tout cas, un dimanche, que j'en trouverai.

Je songe à ces pétales de roses que, pendant des années, maman joignait à ses lettres. Quand j'étais au collège, quand j'étais à Paris, quand j'étais à Athènes, je recevais de temps en temps ce délicat message (parfois, elle allait jusqu'à m'envoyer des fleurs mêmes dans une boîte, fleurs qui arrivaient, principalement à

Athènes, toutes fanées). Le supérieur d'un de mes collèges avait jugé dangereux ces envois et ces messages, qui cultivaient en moi, disait-il, l'inclination au sentiment, mais je lui avais répliqué par l'exemple de sainte Thérèse de l'Enfant-Jésus, qui raffolait des roses.

Il me semble, à présent, voir deux fois mortes ces images d'un passé lointain. Mais on eût dit que je leur offrais une dernière chance de ressusciter un instant. Je rouvris le tiroir de la commode, où, près du sac à main, j'avais reconnu le coffret dans lequel maman serrait certaines lettres : les moins précieuses à son cœur n'étaient pas celles de mon enfance.

Je recense les étapes de ma vie, d'après les enveloppes et les timbres – timbres français, timbres anglais de mes vacances au temps des Sciences Politiques, timbres grecs. Les timbres français : est-il possible que j'aie timbré des lettres à 10 centimes ? L'écriture aussi me montre mes divers changements, bien que la même main s'y reconnaisse et, peu ou prou, le même naturel. Quelques-unes des enveloppes me rappellent le magnifique stylographe, cadeau de maman, qui me fut volé, une nuit athénienne, sur les pentes du Lycabette, où, depuis l'antiquité, ont dû être volés bien des cadeaux de mères.

Mes enveloppes de collège me signalent ce qui peut m'émouvoir le plus : les étapes de mon enfance. Sous leur apparente diversité, le même visage me contemple : je suis déjà là tout entier.

Laquelle est la plus ancienne ? Sans nul doute, celle-ci. Le cachet me renseigne :

octobre 1916 – j'avais neuf ans. Le zèle de la maison où je venais d'entrer, était déjà si bien en moi, que j'ai tracé les trois initiales sacramentelles « J.M.J. » (Jésus Marie Joseph) au-dessus de l'en-tête imprimé sur l'enveloppe. C'est ma première lettre de collège. J'ai relu, avant de quitter Paris, la dernière lettre que maman m'eût écrite, et je relis ici la première lettre que je lui ai écrite. Cette lettre ne me paraît pas très flatteuse pour moi, bien que la marge soit tracée avec soin à la règle : je me borne presque à citer le menu de mon premier dîner, le soir de la rentrée. Il est vrai que je prie mes parents d'embrasser mon petit chien.

Cela me fait penser que la dame de Cannes décrivait aussi à maman le menu de son dernier repas, dans sa nouvelle pension religieuse. J'avais moi-même partagé, à l'occasion, ces repas de couvent, soit à Nîmes, soit à Toulouse. Il y avait, en mon honneur, un supplément de hors-d'œuvre ou de dessert, et la joie que cela faisait à ces dames m'était exquise. J'y voyais la preuve que l'existence de pensionnaires de quatre-vingts ans ressemblait beaucoup à celle de pensionnaires de dix ans.

Est-ce que la seconde lettre me relève un peu ? Elle a été écrite trois jours après. Je commence à y parler de mes travaux : j'ai déjà une bonne note en lecture et en orthographe; je parle également de mes maîtres, je cite encore le menu d'un repas et je réclame des provisions. Des provisions ! et il n'y a que quatre jours que je suis au collège ! Le menu de mes goûters devait être copieux.

Tout en lisant cette seconde lettre, je songe à un mot de la première, qui ne m'a pas frappé sur le moment – c'en était le premier mot : « Je suis très content d'être au collège… » Quoi ! c'est cela que j'ai écrit ! Mais, à côté de ce mot oublié, ma mémoire a gardé plus fidèlement une autre image : celle d'un enfant tout en larmes, une pomme à la main, dans l'embrasure d'une fenêtre ouverte sur la cour du collège. Mes parents venaient de me quitter; j'avais peur de ces maîtres inconnus, chez qui on me laissait; peur de ces camarades qui me semblaient désinvoltes, grossiers ou hostiles. Je ne sais plus pourquoi c'était une pomme que j'avais à la main; mais je me rappelle fort bien que je ne la mangeai pas et que je la jetai dans le buis de la cour. Au réfectoire, je ne touchai pas à ce menu que ma lettre décrivait si bien, et j'achevai de pleurer toutes les larmes de mon corps, une grande partie de la nuit.

Ma première lettre de collège était un premier mensonge – peut-être le mensonge du désespoir corrigé par l'amour-propre. J'aime à croire que je l'écrivais pour moi, plus que pour le supérieur qui lisait nos lettres : en tout cas, je ne l'écrivais guère pour mes parents.

Il y a dans le coffret deux ou trois lettres par année de collège, et je peux vérifier les progrès de mon style, sinon de mon caractère. Dans une lettre de la deuxième année, je me montre fier d'avoir été vêtu en moinillon pour la fête du collège, à la messe et aux vêpres : « J'ai été moine à 10 heures et moine à 5 heures. » Dans une lettre plus tardive, je parle plus légèrement de ces pieux exercices : « Nous avons fait une procession, en vue de demander la pluie au Seigneur, qui a fait tomber en reconnaissance quatre gouttes d'eau. » Certaines de ces missives sont enrichies de fleurs attachées par du papier collant. Était-ce pour faire plaisir à maman, ou pour faire pièce au supérieur ?

Mais ces lettres-là et les autres, ne les a-t-elle pas choisies à dessein pour m'édifier un jour sur ce que furent mes exigences ? J'ai peine à admettre, en effet, qu'elles aient toutes contenu, en dehors de rares politesses florales, ces éternelles demandes de provisions, dont plusieurs contiennent la liste précise. Les enfants d'alors avaient-ils donc tant d'appétit ? On dirait des goûters du temps de Louis XIV, et c'était en pleine guerre ! Non seulement j'étais précis, mais je protestais, comme la générale, lorsque les colis me réservaient des déceptions : « Dans le dernier paquet, il y avait des caramels; mais il n'y avait pas de bonbons acidulés... »

À qui s'adressaient toutes ces précisions, protestations et exigences, si ce n'est à maman ? C'est elle, je ne l'ignorais pas, qui lisait presque toujours mes lettres à mon père; je sais qu'elle lui escamotait ces passages-là : il les aurait mal reçus, ayant des principes plus austères. J'évoque la dernière lettre de maman : « Si c'est possible, apporte-moi du chocolat et une petite boîte de biscuits... »

Dans cette chambre de mort, que je n'ai pas encore fleurie, je me suis reproché de ne pas avoir mieux entouré de fleurs durant sa vie celle qui m'avait si longtemps envoyé des roses. Je puis me reprocher également de ne pas l'avoir, à mon tour, mieux gâtée. La longue habitude de m'envoyer des « provisions » avait survécu, chez elle, à mon départ du collège. Jusqu'à ces dernières années, elle me faisait parfois l'aimable surprise de quelque petit colis de douceurs : si ses roses me parvenaient desséchées à Athènes, on devine que son chocolat m'y parvenait fondu.

Mes lettres de collège consignent des exigences d'un ordre plus spécial. Régulièrement, maman me faisait des visites et ces visites, je les exploitais volontiers à des fins qui lui étaient étrangères. Que devait-elle imaginer, en lisant ceci : « Quand vous viendrez jeudi prochain, mettez une voilette couleur de sable » ? ou ceci : « J'aime bien que maman vienne me voir avec son ombrelle rose » ? Elle ne me demandait jamais d'explication et me prouvait seulement qu'elle n'avait pas oublié de me faire plaisir. Je ne sais si elle lisait à mon père ces passages de mes lettres. Mais je comprends qu'il ait eu hâte de m'éloigner, par l'internat, d'une mère qui me passait tous mes caprices, et j'ai dit pour quel motif elle avait approuvé cette décision. Lorsque je lui parlais d'ombrelle et de voilette, je n'étais plus un petit garçon qui mettait « J.M.J. » sur les enveloppes. J'avais quatorze ans, et ce protocole des élégances ne me visait moi-même qu'indirectement : je faisais porter à ma mère des couleurs qui plaisaient à l'un de mes camarades.

Je referme ce coffret, qui lui a donné l'illusion de me conserver auprès d'elle. Je ne dois penser qu'à elle seule; elle a de quoi fournir à mes pensées.

J'ai fait l'éloge de sa modestie : entre toutes ses vertus, c'est celle que je mettrais la première. Elle l'exerçait dans les moindres occasions de la vie quotidienne, avec une bonne grâce qui ne se démentait pas. Les domestiques en profitaient pour avoir les coudées franches, et mon père la grondait de ne pas savoir commander : elle savait, mais ne voulait pas. À ses yeux, cela faisait partie de la charité chrétienne, et sa charité commençait à la cuisine. Elle s'imposait de participer ou de présider à la confection des plats. Sur ses vieux ans, comme il lui était ordonné, pour l'état de son cœur, de monter et de descendre le moins possible, on lui avait installé une petite cuisine de plain-pied; car, à Alet aussi bien qu'à Toulouse, les cuisines étaient au sous-sol. La gourmandise, finalement, y trouvait son compte : ces « petits plats » qu'elle préparait – si petits, que mon père suggérait de les tirer à la courte-paille – étaient des choses exquises, telles que je n'en ai goûté que de sa main.

Cette charité chrétienne qu'elle observait dans les détails du ménage, avait des applications infinies. Je ne me souviens pas de l'avoir entendue médire de personne, et elle n'aimait pas que l'on médît. Elle ne se défiait, non plus, de personne; elle ne pouvait fermer un tiroir à clé. Elle semblait ignorer l'existence du mal. Peut-être l'admettait-elle dans une éducation négligée. Mais dans celle qui lui était confiée ou qu'elle confiait aux bons pères !

Par quel biais, par quel bout, le mal ou le Malin auraient-ils su me prendre ? En m'enlevant à la petite fille qui avait vu le loup, ma mère ne croyait pas me jeter, au collège, dans la gueule du loup.

Nous recueillîmes à Toulouse, durant la guerre, le fils d'une de mes amies de Paris. Il avait commencé sagement par suivre les cours d'un collège religieux; puis, il planta là ses études et ses hôtes pour « vivre sa vie ». Le couple qui était à notre service, avait une imagination ardente, qui se donna libre cours aux dépens de l'aventureux jouvenceau : tantôt le valet l'avait rencontré, entre deux gendarmes et les menottes aux poings; tantôt la servante, qui prétendait connaître son repaire, nous décrivait ses effrayants compagnons de débauche – hommes habillés en femmes, femmes habillées en hommes. Je savais, hélas ! que tout était possible et ne fus rassuré qu'après avoir fait faire une enquête; mais ma chère maman n'avait pas mis en doute un instant l'invraisemblance de ces histoires : elle en avait ri comme d'une farce, qui s'achèverait par le retour de l'enfant prodigue, sans l'intervention des gendarmes.

Sa naïveté était faite de pureté, autant que de bons sens : elle ignorait l'existence du mal, parce qu'elle était convaincue que le bien finit par triompher.

C'est seulement dans les questions d'argent qu'elle était vraiment naïve. Pour la prévenir contre sa naïveté, il fallait ne jamais lui laisser de somme importante. Non pas qu'elle l'eût employée à des dépenses frivoles : elle avait une échelle des valeurs, fondée à la fois sur sa mystique et sur son absence de besoins. Elle eût donné des milliers de francs pour des messes, aussi naturellement qu'elle donnait dix sous à un pauvre.

Un coup de sonnette : le médecin de l'état civil. Il est en tenue de sport; des jumelles gonflent la poche de sa veste : il doit venir du match dominical.

Il rédige le certificat qui permettra la mise en bière. Sa visite a duré deux minutes. Mais elle m'a apporté une bouffée de l'air du dehors et me donne envie de sortir. La nuit est tombée. Il est six heures. Sortir ! comment puis-je y songer, malgré ce que Paul me disait hier ? Ne me devais-je pas à maman ? Mais je crois l'entendre me dire les mots qui me rendaient ma liberté, quand je lui avais tenu assez longue compagnie : « Tu n'as pas pris l'air; va faire une promenade. » Même si c'était là une de ces occasions où elle eût souhaité que je fisse le contraire, elle ne cherchait qu'à prévenir ce que, moi, je pouvais souhaiter.

Au lieu de marcher sur le trottoir, je suis le terre-plein des Allées, pour rentrer chez mes cousins. Les trams chargés de monde grincent au croisement. Ces gens ont goûté les plaisirs du dimanche. Beaucoup viennent sans doute du match de rugby, comme en venait le médecin légiste, et comme en serait venu mon cousin, s'il n'avait été enrhumé : la bourgeoisie toulousaine encourage les sports, faute de les pratiquer, et je savais que mon cousin était parmi les principaux soutiens des équipes locales – il avait oublié de me dire que, s'il craignait de s'enrhumer dans les cimetières, il ne craignait pas de s'enrhumer au rugby.

Sans doute aussi beaucoup de ces gens viennent-ils de l'amour. Je regarde la silhouette gracieuse d'une jeune personne, qui descend du tram et ne paraît pas très pressée. Au lieu de rester sur le trottoir éclairé par les réverbères, elle prend, comme moi, par le terre-plein. Nous nous croisons. Mon attention a l'air de fixer la sienne. Je lui emboîte le pas; j'ai l'impression que sa marche s'est ralentie; enfin, elle tourne la tête. Si d'autres viennent de l'amour, peut-être que l'amour est venu vers moi.

Nous avons vite engagé la conversation. La jeune personne ne pouvait m'emmener chez elle et je ne pouvais l'emmener chez mes cousins – certains héros de romans, anciens et modernes, n'auraient pas hésité à l'emmener au couvent. Mais elle connaissait *un endroit écarté, où d'être homme d'honneur* j'eus *la liberté*. La température n'était pas propice à de longs ébats.

J.-J. Rousseau s'est rendu témoignage de son innocence, après avoir commis un certain nombre d'erreurs : il me semble aussi que mon erreur de ce soir-là me laissa innocent. En bonne foi, je me fais blanc de mon épée pour ces plaisirs volontaires, comme j'avais fait, dans mes confessions de collège, en les attribuant à des rêves. J'avais souvent constaté combien ces actes physiques, dont la littérature et la société affectent également d'exagérer l'importance, ont peu de prise sur le véritable moi. À peine accomplis, ils ne comptent plus. Le corps s'y est livré tout entier, mais l'âme en était absente, et n'est-ce pas l'âme seule qui fait le péché ? Oui, je l'avais souvent constaté et m'étais absous, sans le secours du prêtre; à plus forte raison, aurais-je, comme maman, estimé grotesque l'intervention du gendarme. Mais je n'avais jamais pu me juger mieux ni mieux juger la valeur de ces actes que ce soir, dans cette escarmouche galante. Ils n'avaient en rien supplanté ni souillé ma douleur : elle était intacte; le spectacle qu'ils lui avaient donné ne pouvait l'atteindre. Si la vie s'était mêlée à la vie et si, de nouveau, elle se mêlait à la mort, cela ne voulait nullement dire que le corps eût eu raison de l'âme.

Il avait fallu ces conjonctures, pour me faire sentir clairement cette vérité. Il avait fallu la mort de ma mère, pour me montrer clairement les deux êtres qui habitaient en moi. Ils n'étaient pas de même race, ils ne parlaient pas la même langue, ils n'étaient ni désireux ni honteux des mêmes choses. J'avais cru, quelquefois, qu'ils entretenaient un commerce secret et s'enrichissaient l'un l'autre : j'avais aujourd'hui la preuve qu'ils s'ignoraient complètement. Leurs rapports n'étaient pas davantage de maître à esclave : il n'y avait, là où commandait le corps, aucune trace de l'âme.

En m'aidant à me comprendre et à me pardonner, si ce n'est à m'excuser, cette petite aventure m'aidait également à comprendre les autres. Elle m'enseignait à être indulgent pour qui trouve des accommodements avec le ciel ou avec la terre. On a vite fait de l'appeler tartuffe ! Quel croyant n'a ses moments de doute et quel incrédule, ses élans de foi ? *Quel curé n'a besoin d'un peu de pénitence ?* Mais ne serait-ce pas à Candide, plutôt qu'à Voltaire, de s'indigner contre ceux qui, « avant de célébrer les saints mystères, se livrent à des horreurs dont frémit la nature » ? L'homme est identique à lui-même et peut rester digne de lui-même dans le mal, autant que dans le bien; Dieu ne cesse pas d'être Dieu, dans le soleil et dans la boue.

Mes cousins et moi, nous demeurons à bavarder, au sortir de table. Il fait froid. Ayant les pieds glacés, je les réchauffe sur le poêle qui renforce le calorifère. Je me suis déchaussé familièrement.

— Mon cher Roger, me dit ma cousine, vos chaussettes sont bien mal reprisées. Il faudrait vous marier : votre linge serait mieux tenu.

Je pense à ce que la sœur a dit du petit complot de maman. Ma cousine le reprendrait-elle ? Paul intervient dans le débat :

— Il y a, en faveur du mariage, des arguments plus sérieux que celui du ravaudage. Nous nous disons souvent, Paulette et moi, combien vous y trouveriez profit : le bonheur conjugal, une source nouvelle d'inspiration, les enfants, moins d'impôts...

Peut-être Paul et Paulette offrent-ils l'image du bonheur conjugal, que symbolisent leurs noms jumeaux. En tout cas, il eût été discourtois de paraître en douter. La source d'inspiration et de dégrèvement des impôts étant des questions plus spécieuses, je ne m'expliquai que sur celle des enfants. Les circonstances me l'éclairaient d'un jour particulier. La mansuétude que j'avais eue pour ma conduite, ne m'empêchait pas de faire un retour sur moimême. Je brûlai de prononcer une condamnation des enfants, mais ce n'était pas en vue de consoler le ménage sans enfants, dont j'étais l'hôte :

– Je ne sais qui a dit, depuis longtemps, qu'il ne connaissait pas beaucoup de fils dont il voulût être le père. Il visait sans doute les mauvais fils, qui sont en grand nombre; mais que penser des bons fils ? Même quand les apparences ont été sauvées jusqu'au bout, même quand on a, de ses propres parents, le témoignage d'avoir été un bon fils, quels amers reproches ne peut-on se faire ? On s'aperçoit, malheureusement trop tard, que l'on a été un fils monstrueux, que l'on a trompé tous leurs espoirs, que l'on a bafoué leur amour, leur confiance et leurs principes, que, parfois au milieu des honneurs du monde, on est leur déshonneur secret et qu'autant aurait valu, pour eux, ne pas avoir eu d'enfant.

Le lundi matin, ma cousine m'indiqua où je devais acheter des fleurs :

– C'est le magasin qui les reçoit directement de Nice. Adressez-vous-y de ma part. Je ne commande rien pour ma pauvre tante : je ferai dire des messes.

Je me rendis dans ce magasin. Il y avait sur la devanture : « Fleurs de Nice – Plants – Plantes – Graines ».

Je dis que je voudrais une couronne ou une gerbe; mais quand je précise de quoi il s'agit, on m'apprend que cela se nomme un « dessus de cercueil ». J'aurais aimé qu'il n'y eût que des arums et des roses blanches; mais on me fait observer que cela conviendrait seulement à une jeune fille. On ajoute que « les roses ne tiennent pas », et qu'il vaut mieux des œillets : le dessus de cercueil sera en arums et en œillets rouges. Chère maman, qui envoyiez des arums sur la tombe de mon père, parce que « les arums tiennent bien » !

Les violettes étaient les fleurs qu'elle préférait. Je me devais d'en apporter, dès ce matin, dans sa chambre; mais le magasin des « Fleurs de Nice » n'avait pas de violettes de Toulouse. Maman n'aurait pu mieux choisir son emblème : si elle m'avait toujours envoyé des roses, elle avait toujours eu chez elle des violettes. Ce choix, instinctif ou raisonné, prenait les formes les plus diverses : les violettes la gouvernaient, depuis la fleur jusqu'à l'extrait, en passant par la violette confite et les étoffes violettes.

À un kiosque, j'achetai des violettes. La marchande, qui était causeuse, me fit dire, je ne sais comment, que c'était pour un deuil, et je précisai, tandis qu'elle liait les bouquets, que je venais de perdre ma mère. C'est ce que j'avais dit également à la fleuriste « niçoise », lorsqu'elle s'était inquiétée de savoir qui ma cousine avait perdu. Il me semblait à la fois, grâce à ces précisions, exciter le zèle d'autrui et diminuer ma peine, en la faisant partager. La femme du kiosque me déclara qu'elle aussi venait de perdre sa mère. Ce souvenir l'émut et elle posa les bouquets, afin de sécher une larme. Au fond du kiosque, sa jolie fille jouait une autre scène, par la porte entr'ouverte : elle échangeait des sourires avec un jeune déluré.

J'attendis le tram, mes deux bouquets de violettes à la main. Pour qu'ils fussent moins visibles, je les tenais renversés, comme les torches de la Mort. Une jeune élégante me regardait; on eût dit qu'elle cherchait à évoquer la personne que j'allais fleurir. Mais ses yeux se portèrent sur ma cravate noire et elle prit alors un air de commisération.

Sœur Marie du Rosaire m'ouvre la porte. Elle joint les mains, en faisant un sourire d'extase, quand elle voit les fleurs. Chez une aimable religieuse, la femme n'a jamais entièrement disparu. La sœur prend les deux bouquets, comme si c'était son affaire de savoir les placer : elle les met sur le lit, un de chaque côté. Puis elle contemple ce tableau :

– Vous devriez, dit-elle, faire tirer une photographie.

Aimable sœur, à qui un bouquet faisait perdre la tête.

Cela me rappelle une autre occasion, où je vis passer, dans un couvent, un éclair de mondanité. Lorsque je revins à Paris en 1943, maman ne voulut pas rester seule dans notre vaste et incommode appartement de la rue des Fleurs : je m'occupai, selon ses vœux, de lui trouver asile dans une pieuse maison.

À cette époque, un nombre infini de réfugiés résidaient à Toulouse; il n'y avait de place nulle part; jusqu'aux couvents qui regorgeaient. Telle supérieure me confiait qu'elle hébergeait même deux vieux messieurs habillés en femmes; telle autre me promettait de me faire avertir, dès qu'une vieille dame de ses pensionnaires, qui était très malade, serait morte. Je poussai mes investigations jusqu'aux monastères des environs. Maman aurait aimé le château de Pompignan, mais les braves dominicaines y cachaient des citoyennes soviétiques. Tous ces détails la bouleversaient, en lui montrant les conséquences d'événements bien au-dessus de sa vie paisible et qui venaient indirectement la troubler.

Dans mes courses, j'allai voir même des sœurs cloîtrées, qui logeaient quelques hôtes dans une annexe de leur maison de campagne. La supérieure me reçut derrière une grille et les yeux voilés. Elle était fort bien disposée pour nous, mais il y avait déjà trois ou quatre dames en lutte pour une chambre qui était libre. Et elle me cita, comme ceux de personnes que je devais nécessairement connaître, ces noms d'une aristocratie rustique, digne de la comtesse d'Escarbagnas. Mon interlocutrice voilée ne mettait assurément aucune vanité dans cet étalage, et je ne mis assurément aucun calcul dans le geste qui me fit tirer alors mon mouchoir. Ce mouchoir était parfumé, suivant un usage que j'observe quelquefois, moins parce que je le dois à maman, que parce que j'ai eu à le défendre. Elle me parfumait mes mouchoirs, quand j'étais petit, et ce ne fut pas sans mérite, en effet, que je continuai de les parfumer au collège : la majorité de mes camarades faisait la guerre aux mouchoirs parfumés – une guerre où périrent bien des mouchoirs et qui fit couler beaucoup de parfum.

Je constatai, ce jour-là, derrière une grille de cloître, qu'une austère supérieure avait plus d'indulgence. Ses yeux, que je distinguais vaguement à travers son voile, me parurent briller tout à coup, et elle renversa légèrement la tête, comme pour mieux respirer ces effluves galants. D'une voix qui me parut elle-même plus suave, elle me dit qu'après tout, nous donner la préférence, ce serait le bon moyen de mettre d'accord les dames de l'aristocratie environnante. En fait, tout le monde fut mis d'accord d'une autre manière : les autorités allemandes occupèrent, peu après, la maison de campagne. Et, comme ces mêmes autorités occupaient déjà le couvent de la rue qui devint, grâce à elles, la rue des Martyrs, ma mère, prise entre les réfugiés et les envahisseurs, se résolut à demander l'hospitalité à la ville de Nîmes, où nous avions des amis et des espoirs de couvents.

Je rêve à ces choses, face à ce visage muet, des deux côtés duquel respirent les deux bouquets de violettes. Puis, de nouveau, j'ai l'idée de chercher des lettres : n'est-ce pas ranimer dans cette chambre les parfums de la vie ? J'ouvre les autres tiroirs de la commode : peut-être me livreront-ils un autre coffret.

Le premier de ces tiroirs contient plusieurs missels, dont certains sont magnifiquement reliés et ornés. Voilà encore qui me fait souvenir du collège (toutes mes jeunes années ressurgissent, pour faire escorte à maman) : ces magnifiques missels, il m'était arrivé de les lui emprunter, en vue d'éblouir mes camarades. Mais ceux qui m'émeuvent aujourd'hui, ce sont les petits missels au dos cassé, aux feuillets jaunis, qui ont servi à maman. Il y a également son livre de cuisine, bien inutile dans cette maison. Les principales recettes sont marquées, en guise de signet, par l'image du Christ, qui est en tête du journal *la Croix*. Dans nos diverses maisons, les tiroirs et les livres de maman étaient pleins de ces images : elle les découpait, par respect, avant de mettre le journal au feu. Il y a aussi, dans ce tiroir, un petit flacon d'eau de Lourdes et des cierges bénits – de ces beaux cierges qu'elle allumait derrière une fenêtre, quand il y avait un grand orage. Enfant, j'avais l'impression que l'orage diminuait de violence, dès qu'un de ces cierges brûlait. Comme certains sont à demi consumés, et que, chaque fois, on les laissait brûler très peu, il y a des chances qu'ils datent de cette lointaine époque. Avais-je pensé, alors, que je les retrouverais un jour dans cette chambre, et que j'aurais pu les rallumer au chevet de cette morte ?

Le tiroir suivant est bourré de linge. Que dirait ma cousine, si elle voyait toutes ces richesses ? Il y a une collection de nappes et de napperons, à faire croire que la table avait tenu une grande place dans ma famille. Il y a des mouchoirs neufs, brodés à mon chiffre : c'était un des cadeaux favoris de maman. « Je t'en ai fait broder une douzaine, me disait-elle. Tu verras le beau chiffre ! » Elle était heureuse de me citer les noms des magasins où l'on avait fait ces broderies, et il fallait de jolis noms pour avoir sa pratique : « Aux doigts de fée », « Les ciseaux d'or »...

Le dernier tiroir est rempli de hardes étranges : elle les avait tirées apparemment de quelque vieille malle. Par-dessus, il y a deux robes en dentelles noires et en jais, à volants et à fanfreluches. Elles ont bien la mine de remonter au Second Empire, que maman commémorait par son âge et par le prénom d'Eugénie. En vérité, c'est le tiroir des dentelles : il renferme aussi un petit bonnet en point d'Alençon, et une taie d'oreiller, où la dentelle forme ces mots : « Bon ange, veillez sur moi » – taie et bonnet de mon enfance. Au fond, reposent une boîte, un album, un cahier de pensées et un buvard.

La boîte renferme des souvenirs de ma première communion (cadeaux insolites de quelques parents et qui sont restés « à l'état de neuf » : poignée de canne en tolède, miroir de poche en nacre, porte-plume en onyx), souvenirs auxquels s'est mêlée ma médaille de « major » des Sciences Politiques et une autre médaille, à ruban rouge et blanc : celle d'« infirmière de la Grande Guerre 1914-1918 ». Quel hasard les a réunies toutes deux : la seule que maman eût possédée et la seule peut-être que j'eusse méritée ? Je pense, devant son humble croix de bronze, à toutes ces décorations, brillantes et bouffonnes, que je collectionnais au Quai d'Orsay et dont aucune n'était rien par rapport à celle-ci.

L'album renferme des photographies. Triste plaisir, de revoir de vieilles photographies, plus encore que de feuilleter de vieilles lettres ! Ces traits, qui sont déjà les miens, alors que j'avais à peine quelques semaines; cet enfant aux longs cheveux, en col marin; ce garçonnet en veste russe, les cheveux en brosse; ce premier communiant à l'air radieux, malgré les souliers vernis qui le mettaient à la torture; ce rhétoricien, qui a voulu se faire photographier avec une rose, est-ce qu'ils me font sourire ou qu'ils sourient de moi? Mais si les visages que j'ai eus me disent trop de choses, je lis toujours la même chose sur ceux de maman : jeune fille, jeune femme, vieille femme, elle avait dans les yeux et sur le front la même clarté. J'éprouve à la fois une espèce de gêne et de fierté à l'idée que je lui ressemble.

Ce n'est pas sans respect que je revois les visages de mon père : sa gravité de jeune homme, d'homme, de vieillard. Autour de lui et de maman, les effigies de parents disparus ou de diverses personnes qui leur étaient chères et avec lesquelles je n'ai plus les moindres relations.

Le cahier de pension où est inscrit le nom de maman, a l'air de joindre son enfance à la mienne. Pourquoi est-il intitulé « Cours normal »? Les dames du Sacré-Cœur avaient-elles des cours anormaux? Le cahier mériterait le nom de « Cours supérieur », car il reflète la morale la plus élevée. Je note cette phrase : « L'homme ne touche la terre que du bout des pieds, pour montrer qu'il doit porter ses regards vers le ciel. » Si j'ai pu croire que les bons pères nous donnaient une éducation archaïque, comment nommerai-je celle que reçut ma chère maman? Après avoir daté du Second Empire ses robes de dentelle, je daterais son éducation du grand siècle : il y avait certainement de ces phrases édifiantes dans les cahiers de Saint-Cyr.

Je voulais des lettres, en voici : le buvard en garde quelques-unes. Ce ne sont plus des lettres de moi; mais elles me concernent : ce sont des lettres, des cartes de visite, des télégrammes de félicitations à mes parents, pour ma venue au monde. Il y a même deux ou trois exemplaires du billet l'annonçant. Cela ne saurait manquer de m'attendrir; mais je lis de quoi m'attendrir davantage : ma mère a conservé des lettres de religieuses, écrites avant ma naissance et qui la prévoyaient. Il y est question de ses angoisses. Le frère que j'ai perdu était né dans des conditions difficiles et l'on avait pensé que la mère n'aurait plus d'enfant. Or, vingt ans après, un nouvel enfant s'apprêtait à naître : ce miracle ardemment souhaité ne devait pas aller sans émoi. Les religieuses (des carmélites) écrivaient de Belgique, où les avaient exilées les lois de Séparation. Mais elles n'étaient pas toutes parties, puisqu'une lettre disait : « Nous avons été navrées d'apprendre, par nos chères sœurs, que votre découragement était extrême, et que vous aviez pleuré en leur parlant. Il ne faut point, madame, vous laisser aller ainsi. Il faut vous jeter dans les bras de la Sainte Vierge et lui dire : « Ma bonne mère, je suis votre enfant, ne m'abandonnez pas dans l'état où je suis; je compte sur votre perpétuel secours et je vous promets d'élever mon enfant pour vous et pour votre divin Fils. » Nous sommes, chère madame, dans ce beau mois de Marie.

Que la joie de la nature et du ciel vous réconforte !... »

Une autre lettre, du même mois, assure maman des prières de la communauté, « particulièrement jusqu'au mois d'août », qui fut celui de ma naissance. Que de prières autour de moi ! Je songe à une lettre que j'avais parcourue hier, sans en faire grand cas. Elle était signée d'un religieux et adressée à ma mère, pour confirmer que des prières seraient dites « à l'intention du jeune homme de quinze ans » qu'elle lui recommandait. D'après la date, il s'agissait alors de mon baccalauréat. Qui sait, après tout, si je ne dois rien à toutes ces prières ?

Et qui sait si ma chère maman n'avait pas, à mon sujet, des arrière-pensées encore plus pieuses ? Une poésie recopiée et que je trouve parmi ces lettres me le donne à croire. Elle a pour titre *La Mère du prêtre*, et présente comme la plus heureuse des femmes celle qui a ce double privilège d'offrir son fils à Dieu et de le garder. Maman ne m'avait jamais parlé de ce vœu secret, qui avait dû traverser son esprit. Elle n'avait pas été moins réservée sur ce vœu, probablement contemporain de mon enfance, que sur celui de me voir marié et qui fut contemporain de sa mort. Qu'aurait-elle dit, si elle avait appris que, dans mon enfance, j'avais été tourmenté, à la suite d'une retraite, par la crainte d'avoir la vocation à mon insu ?

Mais c'est toujours sur moi que je m'attendris et non pas sur elle ! Cependant, c'est elle, sans moi, que me montrent les dernières lettres du buvard – les premières en date. Elles sont de mon père et bien antérieures à ma naissance. Elles évoquent les jeunes années de ces parents, dont je n'ai connu que les cheveux gris. Moi qui les ai connus également si mesurés dans l'expression de leur tendresse, me serais-je douté qu'ils avaient employé jadis les éternelles formules de l'amour – amour qu'avait embelli pour maman la sainte idée du mariage ? « Mes caresses sur toi ! dit une de ces lettres. Mes baisers sur tes beaux yeux ! »

Le destin m'a fait commettre aujourd'hui cette double indiscrétion à travers le passé : autour de mon berceau et d'un lit nuptial. J'ai lu ces lettres, évocatrices de ma naissance, près de cette vieille veuve, couchée sur son lit de mort et bientôt dans son cercueil. J'ai déroulé le fil de tous ses souvenirs : j'en ai retrouvé les plus doux et j'en ai fait sa dernière parure.

Après le déjeuner, Paulette m'accompagne rue des Martyrs. Paul s'est excusé. Ce n'est pas sœur Marie du Rosaire qui nous accueille, mais une sœur qui a la maladie de Parkinson : elle est toute retournée et nous escorte en nous faisant des grimaces.

Ma cousine dit, en montrant les mains bleuies du cadavre :

– Il était temps de procéder à la mise en bière.

Elle s'avance vers le chevet et se penche pour retirer les boucles d'oreilles.

– Je vous en prie, dis-je : je voudrais les laisser.

– Allons, ne faites pas l'enfant ! À quoi cela servirait-il ? Des bijoux dans un tombeau, cela n'a pas de sens, à notre époque.

Elle prend à témoin sœur Marie du Rosaire, qui vient d'entrer :

– N'est-ce pas, ma sœur ?

Celle-ci fait un vague signe de tête. Paulette a enlevé les boucles et les regarde, dans le creux de sa main :

– Ce sont deux beaux solitaires. C'étaient, en somme, les plus beaux bijoux de ma tante.

Elle chercha l'écrin dans le tiroir de la coiffeuse, y inséra les pierres et me le tendit. Je ne pus m'empêcher de rougir, en le glissant dans ma poche : il me semblait commettre un vol.

– Puis-je vous demander, ma sœur, ajouta Paulette, où se trouve une bouillotte que j'avais prêtée à Mme Peyrefitte – une bouillotte recouverte de velours grenat ? Je ne l'ai pas vue dans l'armoire.

Elle fut bien aise de la voir sur une étagère de la toilette.

– Ce n'est pas grand'chose, dit-elle, mais mon mari y tient beaucoup : c'était sa bouillotte de collège. Ah ! et le radiateur électrique de ma pauvre tante ?

La sœur rougit légèrement :

– Excusez-moi, je l'ai porté chez notre mère, qui avait froid.

– Je vous en prie, dis-je, vous n'avez fait que me prévenir : je vous laisse naturellement cet appareil.

Ma cousine triomphe, après le départ de la sœur :

– Que vous avais-je dit, mon cher Roger ? Les sœurs ont la main leste. J'avais oublié le radiateur et m'en suis souvenue tout à coup, en parlant de la bouillotte.

Nous nous asseyons devant le lit.

– Pauvre tante ! continue-t-elle. J'espère que l'on aura correctement pris les mesures pour sa bière. Lorsque maman est morte, à Gaillac, la bière était trop courte : il a fallu briser le cadavre; la tête lui rentrait dans la poitrine. J'espère aussi qu'à Toulouse, le travail est fait plus proprement. Figurez-vous notre surprise, quand là-bas, nous avons vu jeter de la sciure dans la bière. Les croque-morts étaient ivres et n'arrivaient pas à poser le couvercle; ils titubaient en allant au corbillard. C'est invraisemblable ! Et pourtant Gaillac est une sous-préfecture !

La sœur eut un geste de compassion, et dit, pour me rassurer, que l'on ne voyait jamais de pareils scandales, avec les pompes funèbres toulousaines.

Nous entendons une voiture s'arrêter : les voilà.

L'employé est toujours aussi digne; il a mis aujourd'hui un manteau noir. Quatre hommes en uniforme l'accompagnent; ils ôtent leur casquette et s'inclinent. Ils écartent la table, où est déplié mon télégramme; ils reculent les chaises et le fauteuil. Puis, ils portent la bière dans la chambre, dévissent le couvercle, qu'ils rangent contre le mur. À l'intérieur, ils disposent des coussinets, un petit traversin et une espèce de voile; ils y répandent une poudre blanche. L'employé développe un surtout de satin blanc, orné d'une croix, et de mêmes dimensions que la bière.

– Impeccable ! murmure ma cousine.

L'employé et les hommes me regardent, pour me faire comprendre qu'ils n'ont plus qu'à remplir leur triste office. Je baise le front, les joues, les yeux de maman – je n'ose aujourd'hui baiser ses lèvres. Un des hommes prend les deux bouquets de violettes, que la sœur met sur la commode, tournés vers le lit.

– Je les mettrai ce soir dans l'eau, me dit-elle.

Détachant le crucifix des mains qui l'étreignaient, elle le place sur la table. On laisse le petit chapelet d'argent. L'homme qui avait enlevé les bouquets, se prépare à enlever le drap – le drap de dessus, le joli drap : la sœur vient l'aider; le drap plié est mis dans un coin. Ma cousine a surveillé l'opération. Je m'étais attendu, avec saisissement, à voir les jambes et les pieds de la morte, mais la sœur y avait pourvu : maman était déjà enveloppée dans son linceul, sous le joli drap.

C'est toujours le même homme qui, à présent, replie sur le cher visage le drap de dessous. Je regarde cet homme tranquille, dont le métier est de voiler les morts avec le drap de dessous. Il replie d'abord un côté, et le visage n'apparaît plus qu'à demi; ensuite, l'autre, et tout a disparu. Il est fait, désormais, le geste classique du drap qui recouvre le cadavre !

L'homme glisse ses mains sous le corps et, comme s'il portait un enfant, le porte jusqu'à

124

la bière. Il se courbe lentement et le dépose. Je m'avance. On découvre le visage, qui semble déjà celui d'une momie dans les bandelettes.

Tandis que je retourne à ma place, on l'a de nouveau recouvert. Puis, c'est le satin que l'on étend sur le linceul. Puis, c'est le couvercle même, que l'on rive avec des vis de bronze.

– Nous ne fermons pas entièrement le cercueil, me dit l'employé : la mairie doit faire mettre les sceaux.

Deux hommes arrangent les tréteaux et hissent le cercueil, par-dessus lequel ils étalent un drap noir. La sœur les reconduit.

En sortant, ils ont croisé la fleuriste, avec qui la sœur revient dans la chambre. Elle aussi s'est vêtue de noir pour la circonstance : ce sont les attentions toulousaines. Le dessus de cercueil est vraiment digne de ce nom : il est aussi grand que le cercueil. La sœur, qui avait admiré les violettes, est émerveillée des arums. Paulette félicite la fleuriste, et c'est elle qui la reconduit. J'entends qu'elle lui dit à mi-voix, dans l'antichambre :

– Qu'avez-vous, en fait de plantes vertes ?

– Pour l'enterrement ?

– Non, pour l'appartement.

La supérieure arrive et s'exclame :

– Oh ! que c'est bien garni !

J'aime ce terme qui, dans son esprit, compare ce cercueil à un autel ou à un reposoir – « un autel d'être souterrain », dirait Platon. Ce que la supérieure contemple, ce n'est certainement pas un spectacle floral, mais un spectacle religieux. Si, comme la sœur, elle suggérait de faire une photographie, ce serait à titre d'hommage envers l'éternité. Elle murmure :

– Quel bon fils !

C'est un mot de maman, que je retrouvais sur ces lèvres non moins maternelles, et toujours pour de bien pauvres choses, un mot qui ne pouvait plus me faire illusion !

– Je vous remercie du radiateur, ajoute la supérieure : il chauffe, c'est une merveille !

Nous rentrons à la maison, Paulette et moi. Mon cousin et l'un de ses amis d'enfance sont occupés à regarder un album de collège – le collège, comme pour la bouillotte.

– Nous parlions des *Amitiés particulières*, me dit-il, et nous cherchions, dans cet album, ceux de nos camarades qui les pratiquaient avant la lettre.

Ils se penchent sur les photographies des groupes de classes et se disent l'un à l'autre :

– « Celui-ci !... Celui-là. » – « Tu crois ? Je ne me souviens pas de celui-là. » – « Eh bien ! moi, je m'en souviens parfaitement. »

Leurs rires m'inquiétèrent.

– Messieurs les chefs de famille, leur dis-je, je me méfie de ce que furent vos amitiés particulières.

On m'apporte deux télégrammes : l'un de Maurice Rostand, dont la mère avait voué, de loin, une charmante sympathie à la mienne; l'autre, de Montherlant. Je leur avais envoyé un mot samedi, ainsi qu'à d'autres amis, mais une espèce de honte m'avait empêché d'annoncer la nouvelle à celui qui me l'avait trop bien annoncée.

« ... Soyez fort, me dit M. : ne vous mariez pas, n'entrez pas dans les ordres, ne partez pas pour l'Afrique. Achetez un chat. »

Ce texte lapidaire faisait allusion à des propos que nous avions tenus sur les grands malheurs de ce monde et les moyens d'y remédier. La question du chat me visait personnellement : je regrettais encore un superbe chat persan, que j'avais laissé à des amis en juin 1940, lorsque le ministère des Affaires étrangères, auquel j'appartenais, se replia précipitamment sur l'Indre-et-Loire. Ces amis s'attachèrent tellement à ce chat, que je n'ai jamais osé le reprendre, et je m'étais moi-même trop attaché à lui pour vouloir le remplacer. J'avouais parfois, dans mes moments de mélancolie, que le chat me manquait.

Je prends connaissance du courrier que l'on m'a fait suivre de Paris. Il s'y trouve un autre télégramme, réexpédié de Marseille – je ne saurai jamais pourquoi – et qui est le double de mon télégramme de vendredi : je revois le texte, la date, l'heure. Dans l'anonymat d'un procédé si indu (car je n'ai pas songé encore à faire une réclamation), il y a quelque chose d'émouvant : on dirait que l'administration, fautive, avait compris l'importance de ce simple télégramme annonçant une arrivée. Paul m'apprend quelle a dû être la cause de ce retard, dont il a, aujourd'hui même, parlé à un receveur des postes : depuis l'élection récente du président de la République, les lignes télégraphiques sont très encombrées, les félicitations de la Haute-Garonne affluent vers Paris et troublent la correspondance privée. Me serais-je douté que M. Vincent Auriol jouerait un rôle dans la mort de maman ?

La première lettre que j'ouvre, après ce télégramme, est la note de mon dentiste. Il y a là également des cartes d'invitation et une enveloppe au timbre belge – elle porte plusieurs adresses : celle de mon imprimeur, surchargée de celles de mon éditeur, de l'avenue Hoche et de Toulouse.

À quoi n'a-t-il pas tenu que cette lettre ne me parvînt ? J'aurais perdu ainsi une des plus belles récompenses de mon premier ouvrage : à ce titre, elle me restera sans doute la plus chère, comme celui à qui je la dois me restera sans doute inconnu. Il s'excusait de ne pas me donner son nom, « de peur que je ne fusse tenté de lui répondre et que ma lettre ne fût ouverte par ses parents ». Sa lettre à lui, garçon de quinze ans, était le chef-d'œuvre humain qui pouvait alors apaiser mon âme et, s'il est vrai que ce qui vient de l'enfance est ce qu'il y a de plus profond et de plus séduisant, j'aime mieux avoir reçu cette lettre-là que toutes les lettres de Juliette Drouet et de l'Occitanienne.

Au soir d'une journée qui établissait définitivement ma solitude, je demandai quelque réconfort à ce visage lointain qui s'était penché sur mon livre, à ce cœur brûlant que j'avais rafraîchi.

3

Je me levai de grand matin : le départ était fixé à sept heures trente. Il était prudent, avaient dit les pompes funèbres, de se réserver une marge, « en cas de crevaison ».

Le fourgon était déjà rue des Martyrs, quand j'arrivai. Toutes les sœurs m'attendaient; sœur Marie du Rosaire et celle qui devait nous accompagner portaient un manteau sur leurs robes blanches; elles avaient un petit sac à la main : c'étaient les provisions de leur repas – encore une attention de la supérieure, pour me dispenser de les inviter. Nous restons un moment immobiles devant le cercueil. J'ai honte d'être arrivé seulement à l'heure : mon exactitude d'aujourd'hui est digne de mon retard du premier jour. J'ai honte de ne pas avoir veillé une nuit dans cette chambre : était-il imaginable, comme je me l'étais dit, que l'on m'en eût refusé la permission ? Mais toutes ces hontes sont superflues : bon fils ou mauvais fils, c'est la dernière fois que je me serai trouvé ici avec ma mère. Je l'y avais amenée vivante, et je l'emmène morte.

Une des sœurs va chercher les hommes des pompes funèbres, qui ont eu la discrétion de rester à l'écart. Ils enlèvent les fleurs et plient le drap du catafalque. Je vois le cachet de cire noire, qui a été apposé sur le joint du couvercle. Je jette un long regard sur ce lit, que recouvre l'édredon de satin rose et où maman ne dormira plus; sur ce fauteuil, où elle ne s'assoira plus; sur ce crucifix de nacre, que ses mains ne toucheront plus. J'entends les portes du fourgon que l'on referme. Je gagne la sortie. Les deux sœurs montent les premières dans la voiture; je m'assieds à côté du chauffeur. La supérieure nous salue de la main et nous dit, avec sa simplicité coutumière : « Bon voyage ! »

Aux portes de la ville, régnait une animation matinale, que je n'avais jamais eu l'occasion de constater. Les gens se hâtaient vers les trams, pour aller à leur travail. Sur le bord de la route, marchaient des files d'enfants qui se rendaient aux écoles, chargés de cartables et de sacs, le grand frère ou la grande sœur en tête, le plus petit trottinant à la queue. De ces écoliers, nous en verrons tout le long du chemin, à proximité des villes et des villages, allant en classe à une heure plus tardive. Ailleurs, c'était déjà la récréation – à Castelnaudary, les élèves d'une école technique fumaient sur la place. Par-ci par-là, des gens attendaient les cars, aux croisements des routes; certains faisaient signe, pour quêter de nous une place : ils arrêtaient vite leur geste, en reconnaissant un fourgon funéraire. Sœur Marie du Rosaire récite son chapelet, l'autre s'est endormie.

La voiture traverse Limoux, notre ancienne capitale, et s'engage dans la haute vallée de l'Aude. Cette route surplombant la rivière au pied des montagnes sauvages me rappelle une route de Crète. « Oh ! c'est joli ! » dit la sœur qui s'est réveillée. C'est le premier mot qui se soit prononcé depuis le départ. Il semble l'écho du souhait de bon voyage. La brave sœur regarde de tous ses yeux, comme si elle était en excursion. Sœur Marie du Rosaire elle-même a rangé son chapelet; mais je comprends que c'est moins pour se distraire, que pour faire revivre le souvenir de maman. Elle me dit :

– Nous approchons d'Alet, n'est-ce pas ? Mme Peyrefitte me parlait si souvent de son Alet, des ombrages d'Alet !

Je me crus autorisé à faire un peu d'histoire. J'expliquai que le village d'Alet était un ancien évêché, supprimé à la Révolution, qu'il y avait, près de l'église, les ruines de la cathédrale, et celles aussi d'un temple romain, car Alet, dans sa petitesse, s'enorgueillit d'avoir été fondé par les Romains. Alet s'enorgueillit également d'avoir eu pour évêque Mgr Pavillon, le janséniste. (Pouvais-je rester dans le conformisme, citoyen d'une ville réfractaire, né à Castres, ville huguenote, d'un père ariégeois, c'est-à-dire cathare, et d'une mère qui, en tant qu'Albigeoise, m'avait transmis peut-être, à son insu, des ferments d'hérésie ?)

– Mme Peyrefitte me disait qu'il y avait à Alet des eaux excellentes, reprit la sœur.

– Oui; durant la saison, cela donne à ce village une animation de ville d'eaux.

La vallée s'élargit tout à coup, formant une cuvette où s'élèvent des arbres défeuillés – les ombrages d'Alet. La seule verdure est celle de l'immense séquoïa de notre jardin. Entre la flèche de l'église et les toits couverts de tuiles, se dresse le toit couvert d'ardoises, qui m'abrita si longtemps.

Nous passons devant la gare où, en été, des plates-bandes fleuries dessinent le nom du lieu. Les balustres de l'ancienne résidence des évêques se profilent au-dessus de l'Aude. Nous franchissons le pont et les remparts aux pierres dorées – plus dorées que des pierres romaines, dorées comme des pierres grecques. Nous nous arrêtons sur la petite place de l'église. Dix heures sonnent au clocher.

– Nous ne sommes pas en retard, dit le chauffeur.

Le premier glas se fait entendre.

Je heurte à la porte de la cure et reconnais à peine notre vieux curé. Il était déjà bien vieux, quand nous avions quitté Alet : maintenant, il me paraît centenaire. Le pauvre homme est encore plus mal soigné qu'il n'est vieux. Il n'est pas rasé, le poil blanc hérisse son visage. Il est gueux comme un rat. Sa soutane décolorée est usée jusqu'à la corde, rapiécée de morceaux d'étoffe noire, qui font tache, fermée, de loin à loin , par des épingles, qui remplacent les boutons. Et l'on doit présumer qu'il a mis, pour un enterrement de première classe, sa plus belle soutane ! Sa barrette a des cornes élimées, dont le carton est visible, et un pompon que l'on croirait de ficelle plutôt que de soie. Il prend, dans cette vieille cité, une allure historique, non pas, certes, en rappelant les évêques de cet évêché crotté, mais les misérables curés du Tiers-état.

Je me souviens d'avoir entendu dire à maman qu'il avait perdu sa mère, il y a deux ou trois ans, et il n'a manifestement pas les moyens d'avoir une servante. « Le pauvre homme ! avait-elle ajouté. Il doit être bien malheureux ! sans argent, sans personne ! Je lui envoie cent francs, de temps en temps. » Je cherchai inutilement à la convaincre qu'il fallait mettre au tarif du jour ses charités. Elle était persuadée que je parlais en éternel jeune homme, et que, pour le curé d'Alet comme pour elle, cent francs avaient une valeur permanente et un pouvoir inconnu. Il est vrai que ces charités, où n'entrait que la générosité du cœur, s'étoffaient régulièrement d'honoraires de messes.

— Vous n'êtes pas en retard, dit-il comme le chauffeur.

Puis il m'adresse quelques mots de condoléances. Il s'incline devant les sœurs et me dit que « Mlle Marie et Mlle Louise ont été très affligées du décès de Mme Peyrefitte » (ce sont deux sœurs sécularisées, qui dirigent l'école libre). Le chauffeur demande quel est l'ordre de la cérémonie pour l'enlèvement du cercueil.

— Ici, répond le curé, nous allons en procession au domicile. Dans la circonstance, le domicile c'est le fourgon.

— La messe dure environ une heure, n'est-ce pas ?

— Une heure et quart, avec l'enterrement.

— J'aurai donc le temps d'aller faire vidanger la voiture pendant la messe. On m'a dit qu'il y avait un garage à Alet.

— Oui, au tournant, près du pont, il y a un grand garage.

— Bon ! J'irai tout à l'heure.

— Mais vous avez le temps d'y aller avant la messe !

Avec le cercueil ! Le chauffeur me regarda, comme pour me dire que le curé d'Alet n'avait pas un grand sens des convenances. Celui-ci ne comprit certainement pas la leçon, quand l'autre lui répliqua :

— Non, j'irai pendant la messe.

On l'eût étonné, en lui révélant qu'il manquait de tact. Pour lui, ne comptait que sa messe : il s'imaginait, sans doute, que le chauffeur y aurait assisté ou que c'était œuvre de bon chrétien d'inciter à le faire.

J'entre, avec les sœurs, dans le presbytère. Nous nous asseyons dans les fauteuils d'osier qui ornent la grande salle. Au centre, une table qui disparaît sous un tapis poussiéreux, avec un bouquet de fleurs artificielles tout aussi poussiéreux, des livres et des revues. Aux murs, un crucifix et des gravures.

— Je suppose, dis-je au curé, que la nouvelle du décès a produit une certaine émotion dans le village.

— C'est probable : Mme Peyrefitte était très aimée, elle avait mille manières de faire du bien. Mais j'y songe : avez-vous le permis d'inhumer ? Notez que nous inhumerions sans cela, mais la municipalité actuelle est tatillonne.

Je tirai le papier de mon portefeuille. Le curé se leva pour charger Noémie, la sacristine, de le porter promptement à la mairie.

Pendant son absence, j'excusai, auprès des sœurs, la pauvreté et le négligé de notre hôte.

– Oh ! il a l'air d'un saint homme, dit sœur Marie du Rosaire.

– Puisqu'il a une sacristine, dit l'autre, ne pourrait-elle s'occuper un peu de lui ?

Je racontai que cette brave femme était d'une saleté et d'une odeur si repoussantes qu'on ne l'employait guère qu'à balayer l'église. Maman s'était refusée à lui confier même le soin d'entretenir notre tombeau.

Je regardai les livres qui étaient sur la table. Il y avait l'*Histoire d'Alet*, écrite par un ancien curé de la ville (« Heureux ceux qui habitent les villes, disait en latin un ancien dicton, excepté Saint-Papoul, Alet et Lombez ! »); un catéchisme du diocèse de Carcassonne, à côté d'un catéchisme du diocèse d'Alet – du temps où Alet était non seulement une ville, mais un diocèse; un traité de saint François Borgia, un album sur les crimes allemands et un autre sur les courses de taureaux.

Le curé rentra. Je lui montrai les deux albums :

– Vous avez chez vous des images un peu cruelles !

– Le premier album, j'y ai souscrit par cha-

rité, je ne veux pas dire : par force; le second,
c'est un baigneur qui me l'a donné.

Il me dit ensuite qu'il avait entendu parler
de mon livre.

– Je me doute du sujet, ajoutait-il; j'ai été
professeur au petit séminaire.

C'était l'occasion ou jamais de citer mes
références, c'est-à-dire le critique de *La Croix*.
Je le fis, moins par cafardise que par égard
pour les sœurs et surtout pour la mémoire de
maman.

– J'ai vu, sur le permis, continua le curé,
que Mme Peyrefitte avait quatre-vingt-deux ans
– l'âge auquel ma mère est morte. M. Peyrefitte était encore plus âgé, si je ne me trompe.
À Alet, bien des gens sont morts, depuis votre
départ, et il y a eu bien des changements.
Vous avez su, naturellement, que votre château a été revendu et va être la mairie et
l'école. Quel dommage ! Ces magnifiques
salons, ces fresques faites, il y a cinquante
ans, par des peintres italiens, cet escalier de
marbre blanc, ces cuisines au sous-sol, ces
salles de bains, la grotte, le parc, l'orangerie !

J'avais su, en effet, par maman, les vicissi-
tudes de notre maison, qu'il nommait château,
suivant l'usage du pays. Mais, contrairement
à ce qu'il croyait, j'avais été charmé qu'elle
devînt, sinon la mairie, du moins l'école. Le
château d'Alet ne m'avait jamais paru si
auguste qu'il dût être respecté comme un château historique.

Mon père, qui aimait à vivre à la campagne,
avait cherché une installation confortable, dans

la région où étaient nos biens fonciers. Il n'avait pu, à cet égard, rien trouver de mieux entendu que cette demeure, nommée tantôt villa Livadia, tantôt château d'Alet, tantôt château Cubat, en l'honneur de celui qui l'avait bâtie et au décès de qui il l'acheta. Ma mère et moi, plus sentimentaux, nous aurions préféré un cadre où évoquer d'autres souvenirs que ceux de la famille Cubat, et surtout un parc qui fût un vrai parc. Nous avions été plus gâtés dans nos installations précédentes. Cette énorme villa n'avait, sur le devant, qu'un parterre, orné, il est vrai, de beaux arbres, sans parler de la grotte; derrière, s'étendait un grand potager, coupé de hautes allées de buis; au-delà des grilles et des murailles, s'étageaient les collines et les montagnes.

Le personnage pittoresque à qui nous succédions, avait été longtemps maire d'Alet, après avoir été, plus longtemps, chef des cuisines du dernier tzar. On parlait encore des frairies qu'il avait données à ses administrés et des fastueuses réceptions qu'il avait données aux grands-ducs, des millions qu'il avait gagnés et perdus en Russie et de son uniforme de général russe que, troquant le bonnet pour le bicorne, il arborait dans les grandes occasions. Mon père, qui désirait vivre en paix, avait naturellement refusé de le remplacer comme officier municipal, et il ne s'agissait pas davantage de le remplacer comme officier général, ni comme officier de la bouche impériale. En somme, nous avions détourné, pendant près de vingt ans, le cours de l'histoire : la maison du plus célèbre des maires d'Alet ne pouvait que devenir la mairie. Quant à la grotte, elle ferait une bonne annexe de l'école : il faut des cachettes aux écoliers.

Le deuxième glas est sonné. Sœur Marie du Rosaire se lève avec sa compagne et dit qu'elles vont attendre dans l'église l'heure de la messe. Le curé les accompagne. Je sors également pour me rendre au cimetière.

Ce cimetière, resserré entre l'église et les ruines, est fort poétique. Il avait tellement plu à mon père, que ce dernier, répudiant le cimetière ariégeois de sa famille, avait décidé d'y être enseveli. Mais, comme une sorte de superstition l'avait empêché de faire construire le caveau, c'est moi qui dus y pourvoir. Lorsque le monument fut terminé, j'y fis transférer son cercueil, qui avait reçu un asile provisoire. Je viens y conduire aujourd'hui un autre cercueil.

Je gravis quelques marches et je revois, parmi les cyprès, ce tombeau de marbre gris aux lignes simples. On a descellé le couvercle : sur deux barres de fer, à mi-hauteur, repose le cercueil. On l'a, sans doute, reverni, car il est d'aspect tout neuf, et on l'a poussé de côté, pour faire place à l'autre. Le livre de marbre où est gravé le nom de mon père est devant la fosse béante. Je m'étonne et m'indigne qu'elle soit envahie par les eaux; cela ajoute à l'impression glaciale que fait une tombe.

À travers le grillage qui clôt cette partie du cimetière, j'aperçois, en contrebas, des ouvriers qui restaurent la nef démantelée de l'ancienne cathédrale. L'un d'eux, jeune et aimable, m'aperçoit à son tour, me sourit, me salue. Je ne le reconnais pas : les sept ans qui sont passés depuis mon départ ont changé les traits de celui qui était alors un enfant, mais n'ont pas changé les miens. Le tombeau surplombe cette nef qui, battue des hommes et des siècles, est toujours à l'ancre. Il a, pour fond de décor, les ogives qui ont vu un pape, et les pilastres qui ont vu les dieux. Puisqu'il sera vraisemblablement mon tombeau, je ne pouvais souhaiter plus noble voisinage. Et puisque le temple fut consacré à Vesta, cela présage-t-il que la flamme du souvenir ne s'éteindra pas tout à fait pour ceux qui se seront mis à son ombre ?

Le troisième glas étant sonné, je regagne le presbytère. Le curé, qui m'y attend, se plaint que les enfants de chœur ne soient pas encore là :

– Ils ne sont pas zélés ! Ils viennent au catéchisme, pour pouvoir faire leur première communion, mais, sitôt après, ne reviennent plus.

– Félicitez-vous, dis-je, qu'ils fassent au moins leur première communion.

– Oh ! les familles y tiennent surtout pour ne pas perdre une occasion de faire ripaille.

Arrivent les demoiselles de l'école libre, qui m'offrent leurs condoléances. Les sœurs toulousaines étant revenues sur ces entrefaites, je leur présente les sœurs alétoises. Arrivent enfin les acolytes, qui partent pour l'église avec le curé : ils sont laids et mal tournés – on aurait pu mieux choisir – mais ils m'émeuvent à l'idée que, distraits et oublieux, ce sont les derniers enfants qui auront accompagné ma mère.

Devant le porche et autour du fourgon, des gens sont rassemblés. Je vois des visages de connaissance. Il y a aussi le nouveau maire, que me présente un des notables. La grosse épicière et notre ancienne domestique m'embrassent, les larmes aux yeux. « Pauvre Madame ! comme elle était bonne ! » me dit l'une (maman se plaisait à faire ses courses et avait beaucoup d'estime pour la grosse épicière). « À présent, Monsieur est tout seul », me dit l'autre, comme si elle savait que, même loin de ma mère, je n'étais pas seul, de son vivant.

Des hommes ont porté un brancard à l'arrière du fourgon. Dès qu'apparaît le curé, dans sa chape noire, ils tirent le cercueil et le posent sur ce brancard. La gerbe produit un certain effet. Mais ceux qui ont bien connu maman doivent apprécier surtout les deux bouquets de violettes.

Le curé récita le *De profundis*. Sa voix vulgaire semblait transformée par ces paroles. Il faisait comprendre le rôle auguste de la religion, qui marque les cérémonies humaines, de la naissance à la mort. Le soleil d'hiver brillait sur ce cercueil, qui n'avait pour domicile que cette place, le cercueil de cette femme qui avait traversé cette place tant de fois, lorsqu'elle se rendait à cette église. Je crois

140

la voir encore marcher à petits pas, dans cette ruelle, bordée de vieilles maisons, qui faisait raccourci entre l'église et la villa. À combien de funérailles elle avait assisté ! Elle considérait que cela faisait partie de ses devoirs envers les gens du pays. Sa dernière visite à cette église et à ce cimetière avait été en novembre 1941. Nous étions venus, à l'occasion de la Toussaint. La tombe sur laquelle elle avait prié s'ouvrait maintenant pour elle.

Les hommes soulèvent le brancard; nous entrons dans l'église. Je croyais la trouver pleine de monde, comme pour mon père : hors le petit groupe qui me suit, il n'y a guère que deux ou trois rangs occupés. Il est vrai que les circonstances sont un peu différentes : mon père était mort ici, en seigneur du village; maman est morte loin d'ici, où nous ne sommes plus représentés que par un tombeau.

L'église d'Alet est vaste : elle contiendrait tout le village. On a voulu, en la bâtissant au siècle dernier, lui donner une figure tant soit peu épiscopale. Des plaques de marbre armoriées, que les familles de certains évêques ont fait apposer sur les murs, complètent l'illusion.

Le cercueil est hissé sur un catafalque, dans l'allée de la nef. Au premier banc, du côté droit, je suis seul. Sur l'autre banc, à gauche, les deux religieuses sont seules.

Si j'ai été sensible à la dignité de l'officiant pendant le *De profundis*, je le suis beaucoup moins pendant la messe. Ces hautes voûtes font paraître le curé bien piteux, autant qu'il avait paru noble en plein air. La chape lui allait bien, la chasuble lui va mal. Les enfants de chœur sont vraiment d'une rusticité qui passe permission; leurs galoches ferrées ne sont pas faites pour gravir les degrés d'un autel. Ce doit être ainsi, je suppose, que se célèbrent les messes d'enterrement, dans la ville où l'on avait tant maltraité la mère de ma cousine. Pourtant, une chose me trouble : le *Dies irae* qu'entonnent les demoiselles de l'école. Ces voix de vieilles filles, qui mettent toute leur âme dans leur chant, me remémorent les nombreux dimanches où je les ai entendues.

Chère maman ! avait-elle pu savoir que, depuis ma sortie du collège, je n'avais presque jamais été à la messe qu'avec elle, c'est-à-dire à Alet ? À Toulouse, je m'arrangeais toujours pour partir de la maison avant ou après elle, et elle ne trouvait pas étrange de ne me rencontrer que sur le chemin du retour. À Alet, la proximité des lieux et la nécessité de paraître à notre banc eussent rendu la supercherie plus difficile. En vue d'adoucir cette observance fastidieuse, je prenais dans la bibliothèque, une édition Cazin – les *Contes* de La Fontaine – et ne fermais le livre que pour écouter le sermon. Maman m'avait demandé une fois, à la sortie, quel était ce petit livre. Ayant prévu la question, je tirai de ma poche un volume du même format, qui était l'*Imitation de Jésus-Christ*.

Ces souvenirs m'induisent à un examen de conscience. Je songe à la condamnation que j'ai prononcée contre moi, le soir où mes cousins me parlèrent mariage et enfants.

J'avais peut-être, ce soir-là, des raisons de me montrer sévère : les reproches dont je m'étais lavé au sujet d'autre chose, m'avaient conduit à me faire d'autres reproches. Mais à présent, sous les voûtes de cette paisible église, où mes pieuses fourberies se voilaient du recul des années, je retrouvais pour moi plus d'indulgence. Je ne me croyais pas si coupable envers maman, dans les affaires spirituelles; je ne croyais pas l'avoir traitée de la façon que beaucoup d'élèves traitent les bons pères : en affectant les dehors de la foi, ces élèves se moquent des bons pères, tandis que je respectais maman. Je l'ai trompée, pour lui laisser l'image d'un fils selon son cœur. Plus de franchise l'eût rendue inutilement malheureuse, au lieu qu'elle était heureuse en moi. C'est sans me forcer que je parlais son langage, puisque c'est sa présence qui me l'inspirait.

Bien mieux, c'était pour moi autant que pour elle, qu'il me plaisait de lui parler ce langage, et le seul regret qui me reste, est de ne pouvoir jamais plus le parler à personne. Le monde où vivait son esprit ressemblait si peu au monde, que c'était un enchantement d'abonder dans ses convictions. Cependant, je lui renouvelais le moins possible ces témoignages fallacieux. Sa piété, toujours discrète, ne s'étonnait pas de ma propre discrétion.

Noël et Pâques étaient les deux seules circonstances où, quand je n'étais pas à ses côtés, elle se permît de me rappeler mes « devoirs de chrétien ». Sa phrase était d'ordinaire : « Je n'ai pas besoin de te rappeler... »; et ma réponse : « Vous n'aviez pas besoin de me rappeler... » Mais, en vue de lui être agréable, j'ajoutais alors quelques détails : « ... L'église était bien chauffée; vous n'auriez pas risqué d'y prendre froid, comme dans celle d'Alet, qui est une glacière... » Ou bien : « ... Il y avait quantité d'hommes à faire leurs pâques : Dieu merci, la foi est plus vive à Paris qu'à Toulouse. » J'égayais ces phrases un peu attristantes avec « les petits chanteurs à la croix de bois ». Ils étaient ma grande ressource. J'étais censé les suivre à la trace et ne les ai jamais vus ni entendus. Pour ma chère maman, ces enfants à la voix angélique faisaient les délices de toutes mes communions pascales et de toutes mes messes de minuit.

L'occasion me fut donnée d'apprécier, à la fois, le tact qu'exigeait ce rôle et l'odieux qui, malgré moi, s'y attachait : en tout cas, il ne souffrait pas de compère. Le jeune Parisien qui séjourna chez nous à Toulouse avait dû être mis au fait de la manière dont je remplissais les obligations du dimanche. Il savait, de surcroît, comment j'observais, à Paris, les fêtes de Noël et de Pâques; je fis là un trop bon élève, qui, étant, au surplus, l'élève des bons pères, ne tarda pas à me dépasser.

Au déjeuner dominical, ce lui était une joie de décrire la messe imaginaire à laquelle nous avions assisté. Ayant lu l'évangile du jour, il en citait des passages et y cherchait ce qu'il nommait « le sens caché »; il se plaignait d'une voisine ou d'un voisin; il avait reconnu dans les stalles son dernier confesseur, qui était

« un grand maigre » ou « un petit gros ». Ces facéties m'amusèrent un temps, mais j'en souffrais, sans le dire, comme d'une punition méritée. Bientôt, notre jeune hôte, non content du récit des messes, nous fit subir celui des confessions : le grand maigre lui demandait avec obstination s'il avait toujours des « pensées droites »; le petit gros, s'il n'avait pas de « mauvaises pensées ». Il affectait l'étonnement devant ces expressions, en apparence contradictoires, et sollicitait nos lumières. Je lui répondis par quelques bons coups de pied sous la table et lui donnai ensuite des consignes péremptoires. Je lui déclarai, en lui expliquant la formule, que je lui permettais de faire barbe de foire à Dieu, mais non pas à maman. Néanmoins, j'eus, là encore, une preuve que la naïveté de celle-ci n'allait pas sans finesse : elle était loin d'écouter gravement les commentaires bouffons et hochait la tête d'un air sceptique – elle ne comprenait plus, quand ils devenaient risqués. Mais si elle entendait raillerie, elle n'aurait pu s'imaginer que l'on raillât tout à fait : pour elle, ces remarques étaient le fait d'un petit plaisantin qui vient de la messe ou qui sort du confessionnal.

Un problème nouveau se pose à moi aujourd'hui : ce personnage, cette comédie que je lui ai joués, doivent-ils lui survivre ? Je veux dire : dois-je exécuter les promesses que je lui avais faites dans cet ordre de choses ? Écrirai-je aux religieuses qui étaient ses correspondantes, aux confréries dont elle était membre, en vue de la recommander à leurs prières ?

Ferai-je dire des messes pour elle, comme ma cousine et les sœurs, ou celle-ci sera-t-elle la dernière ? Elle m'avait conjuré de remplir ce vœu, et je suis certain que c'était à mon intention : persuadée que ces prières la mèneraient plus vite au paradis, elle voulait être en mesure d'intercéder plus vite pour moi. Je suis certain également qu'elle se faisait fort d'obtenir mon salut avec le sien. Même si, à mon insu, elle m'avait soupçonné d'impiété, elle avait dû garder confiance. Comme elle avait dit à Dieu autrefois : « Vous savez bien que je ne puis avoir un fils sacrilège », elle m'avait prêté sans doute la parole du psalmiste : « Je ne suis pas un impie et nul ne pourra me tirer de ta main. »

Remplir le vœu qui lui était si cher, ce serait une façon de continuer à la respecter; ce serait une façon aussi de respecter une religion qui éclaira sa vie et l'a conservée à mon amour plus longtemps. Mais quelle raison de respecter ce vœu ? Si je ne crois pas, elle n'a que faire des messes et des prières; si je crois, elle n'en a que faire davantage. Ces devoirs qu'elle espérait, et que n'ont à lui rendre ni le croyant ni l'incroyant, les lui rendrai-je comme fils ?

Le curé donne l'absoute. Pourquoi fait-il par deux fois le tour du catafalque ? Pourquoi deux et non pas trois ou une seule ? Mais on ne discute pas les rites et je m'inclinai durant ces deux tours, comme on s'incline aux coups de clochette de l'élévation.

Maintenant, les hommes reprennent le cercueil. Ce qu'ils portent en terre, c'est plus qu'une femme étendue dans un cercueil : c'est un univers de foi et de sagesse, d'humilité, de simplicité, de douceur, qui achève de disparaître en face d'un univers de violence, de haine et de prétentions. Il n'y a, pour célébrer de telles funérailles, qu'un pauvre curé, râpé et blanchi.

Je pense aux grands enterrements à Paris : les voitures chargées de couronnes, les draps noir et argent, l'ordonnateur en cape et culotte courte.

Notre petit cortège traverse le porche et reprend ces allées que je viens de parcourir. L'officiant asperge encore le cercueil et la tombe. Il récite les dernières prières : « Je suis la résurrection et la vie... » Comme ces mots résonnent curieusement à l'oreille de celui qui n'a pas la foi de la pauvre morte ! Quelle sublime hardiesse, celle du chrétien, qui parle de la vie devant une tombe !

Les quatre hommes s'emploient à faire glisser la bière dans le caveau, où le fossoyeur est descendu : deux la tiennent d'un côté, tandis que les deux autres la guident par des cordes. Le fossoyeur la pousse contre celle qui l'attendait : est-ce une manière de rapprocher les époux ou de laisser, près d'eux, la place libre pour leur fils ? On remet la dalle, on y pose la gerbe et les violettes. Je restais là et j'aurais voulu y rester longtemps, les yeux attachés sur ce marbre fleuri. Les fleurs ne cachent pas le livre de pierre, où va être gravé un nouveau nom.

La grosse épicière s'approche et me dit à l'oreille :

— Si Monsieur veut recevoir les condoléances, ce serait le moment.

Je m'aperçois, en me retournant, que le curé et les acolytes se sont éclipsés; je me hâte vers le porche, suivi par l'assistance. Je serre la main à tous ces braves gens; je remercie particulièrement le maire, comme il se doit. Sont restés la grosse épicière, notre ancienne domestique, les demoiselles de l'école et l'un des notables.

— Vous ne repartez pas tout de suite ? me dit celui-ci. Il vous faut reprendre l'air d'Alet. Je vous garde à déjeuner.

J'avais compté déjeuner à Limoux, mais l'idée de prolonger un peu mon séjour me paraît consolante. Les demoiselles de l'école s'empressent d'inviter les deux sœurs, que le chauffeur ira reprendre, après avoir été déjeuner de son côté. Je rentrerai à Toulouse par le train.

— Au revoir, monsieur Roger, me dit notre ancienne domestique.

J'aime qu'elle me nomme ainsi, comme du temps de mon père : cela me rajeunit.

— Pour les fleurs, ajoute-t-elle, soyez tranquille; j'en mettrai toujours à Madame, comme j'en ai mis à Monsieur.

La sacristine s'approche en souriant :

— C'est moi qui encaisse, j'ai les notes, me dit-elle de sa voix chevrotante.

— Quelles notes ?

— Les notes des obsèques. Je les ai fait préparer tout acquittées, dans le cas où vous seriez reparti tout de suite.

Je la prie de venir me trouver après déjeuner, chez le notable, et de faire vider le monument des eaux qui s'y sont infiltrées.

— Oui, me dit-elle, toutes les tombes sont inondées : Alet est une ville d'eaux. Ce matin, on a déjà pompé dans votre caveau, mais je vais faire pomper encore.

— Ce n'est pas suffisant; il faut creuser une rigole. Je ne peux souffrir l'idée que l'inondation se reproduise.

Adossé à l'un des arbres de la place, m'attendait le personnage le plus curieux du pays : c'est le descendant de la plus ancienne famille d'Alet, en lui bien déchue. Il a l'œil larmoyant, la voix pâteuse, la main tremblante; ses cheveux grisonnants, couverts d'une casquette digne de la barrette du curé, tombent sur ses joues, non moins hérissées que celles du saint homme; ses vêtements sont, de même, usés jusqu'à la corde et déchirés par endroits, mais ils ne sont pas rapiécés; il est chaussé, à un pied, d'un sabot, à l'autre, d'une savate.

— Je n'ai pu venir à la messe, me dit-il. Vous avez reçu ma lettre ?

— Une lettre de condoléances ?

— Non, celle que je vous ai écrite, il y a cinq ans, à Toulouse, pour vous proposer un emprunt sur gage, en vous remboursant la somme que m'a prêtée Monsieur votre père.

— Mon cher X..., je n'ai guère le cœur à parler affaires aujourd'hui.

— Pourtant, le gage est bon, vous savez !

— Eh bien ! gardez-le, et gardez aussi la

somme que mon père vous a prêtée. Je vous en tiens quitte, mais restons-en là.

Quand je me retrouve seul avec le notable, je manifeste le désir de passer devant notre ancienne maison. Il m'en détourne, en me disant que la vue m'en sera un crève-cœur : les pelouses et les parterres sont en friche, des arbres ont été abattus, les lanternes et les treillages sont brisés, les fenêtres fermées par des planches.

La maison du notable est située dans la partie haute du village. Sur le seuil des portes ou des boutiques, ceux qui ne sont pas venus à l'enterrement s'effacent, pour ne pas avoir à me parler.

Pendant le déjeuner, on me raconte toutes les histoires du village, qu'on mêle aux faits divers de l'Occupation et de la Libération. Mon hôte, sous-préfet du maréchal, avait été prisonnier de son confrère, le préfet du maquis des Corbières. Son fils, tout en faisant partie de la garde du maréchal, avait été à la tête du maquis vichyssois. La grand'mère avait eu maille à partir avec le maquis des Cévennes, pour ne pas avoir empoisonné des soldats allemands qui avaient logé dans une de ses fermes. On me fait admirer le portrait d'un aimable bambin : le petit-fils.

— Voilà Philippe ! me dit la grand'mère.

— Allons ! dit mon hôte, vous savez bien qu'à présent, nous l'appelons Basile. J'espère que ce prénom est à couvert des maréchaux et des maquis.

Au fromage, on annonce la sacristine – elle

150

vient du moins à propos. Je passe avec elle dans le salon. Elle m'assure que la rigole a été creusée dans le tombeau. Je songe trop tard que cette précaution risque d'avoir l'effet contraire, c'est-à-dire de ramener les eaux, après les avoir retirées.

– Voilà la note de M. le curé, me dit la sacristine; puis la note du sonneur, celle du fossoyeur (il a creusé la rigole pour rien) et celle du garde-champêtre.

La note du garde-champêtre, sur en-tête de la mairie, porte cette inscription solennelle : « Mise au tombeau ».

Avant de repartir pour la gare, je veux rendre une visite. La dalle est rescellée; les traces du ciment sont toutes fraîches – ce ciment qui ne se brisera que pour laisser passage à ma propre dépouille, cette dalle qui ne se descellera plus que pour moi, ce tombeau où n'entrera plus le ciel d'Alet que lorsque mon cercueil y entrera. Mais est-il tellement sûr qu'il y entre ? Il y entrera, si tout se passe bien. À l'époque où nous sommes, qui peut être certain même d'un tombeau ? Quelques bouquets ont été déposés par des mains amies. Je parais touché de ces marques de sympathie. Mon hôte ne me laisse pas d'illusion.

– Il y a des fleurs aujourd'hui, me dit-il, mais considérez qu'elles y sont une fois pour toutes.

– Vous avez entendu la promesse que m'a faite notre ancienne servante.

– Elle était peut-être sincère en vous la faisant; mais je doute qu'elle fleurisse votre mère plus qu'elle n'a fleuri votre père, quoi qu'elle eût dit. Notre tombeau de famille est voisin, ma femme y vient chaque semaine : elle n'a jamais vu de fleurs sur le vôtre, sauf les arums que Mme Peyrefitte prenait soin d'expédier.

Dans la nef de la cathédrale, les ouvriers des monuments historiques continuent leur travail : ils sont le symbole de la vie qui continue, indifférente. Celui qui m'avait souri ce matin fait semblant de ne pas me voir. Mon hôte s'est chargé aimablement de faire graver à Limoux la nouvelle inscription; il soupèse le livre de marbre :

– Bon ! Je l'emporterai facilement. Que faudra-t-il graver ?

Il marque mes indications dans son calepin. Un instant, j'hésite à embellir le nom de maman d'une rallonge à particule, conservée, plutôt qu'utilisée, dans sa famille. J'avais prétendu en embellir mon propre nom, dans mon adolescence, temps où la question des noms préoccupe beaucoup. Mon père m'avait enjoint vertement de me contenter de celui qu'il me transmettait, sans éclat et sans tache.

J'ai encore le temps de rendre visite au curé. Il est épanoui. On le sent doublement satisfait : il a conduit une âme devant Dieu et il a célébré un enterrement de première classe. On dirait que sa soutane est plus propre, sa barrette moins cassée. Il a peut-être aussi une autre satisfaction : il a marqué un point en faveur de l'éternité. Il a mis face à face le fils et les cercueils de son père et de sa mère;

il a mis face à face avec Dieu, non seulement la mère, mais le fils, non seulement les morts, mais les vivants, et, sans souci pour les premiers, il laisse conclure aux seconds.

Je fis comme si j'avais donné, au problème qui m'avait agité dans son église, une solution en harmonie avec la sienne :

– Je voudrais faire dire, à la mémoire de maman, un certain nombre de messes.

– Le nouveau tarif est de tant la messe.

Il avait la simplicité heureuse d'un homme qui, longtemps réduit à la portion congrue, peut enfin appliquer « le nouveau tarif ». Je lui remis une somme et il me dit aussitôt que cela ferait tant de messes. Quand c'était maman qui lui écrivait à ce sujet, elle lui demandait toujours de préciser les dates, afin de participer de loin au sacrifice. Le curé ne prit pas la peine de m'indiquer ces précisions et je ne poussai pas la chose jusqu'à les lui demander. Plus perspicace que maman, l'ancien professeur du petit séminaire ne s'était jamais sans doute abusé sur ma piété – il ne m'avait jamais entendu à confesse, même quand je faisais mes pâques. (Je me demandais alors, avec quelque angoisse, s'il n'allait pas me les refuser.) À tous mes libertinages, la mort avait répondu par sa bouche; dans le deuil qui pouvait le plus profondément me toucher, il savait que je n'aurais d'autre consolation que ses paroles : *Ego sum resurrectio et vita.*

À la portière du wagon, je regarde défiler les petits villages près desquels le train s'arrête. Certains me rappellent des propriétés que nous avons possédées dans leur voisinage. Non loin de Carcassonne, j'aperçois, sur une éminence, le parc de l'une d'elles. Il me semble revoir le coin où se tenait maman sous les pins, non loin d'une grotte, car il y avait, là aussi, une grotte, comme chez M. Cubat. Tous ces souvenirs me sont aujourd'hui plus pénibles qu'agréables : ils me montrent que j'ai bien fait de ne pas revoir la maison d'Alet.

À Carcassonne, on apprend que le rapide vers Toulouse a trois quarts d'heure de retard, par suite de chutes de neige survenues dans le Languedoc. Le soleil a brillé sur la cérémonie d'Alet, mais le fond de l'air était froid et ne permettait pas d'oublier la saison.

J'entrai dans la salle d'attente, qu'éclairait une faible lumière : seuls et silencieux, à demi cachés par une table, quatre ou cinq lycéens feuilletaient des illustrés. Je m'installai dans un fauteuil, à côté du poêle, et fermai les yeux pour méditer.

C'est la première fois depuis ce matin que, dans le miroir de mon âme, je me contemple; c'est le premier moment où je mesure, au milieu d'inconnus, toute l'étendue de mon malheur, toute l'amertume de mon destin. Ce n'est pas le sentiment de ne plus avoir personne entre le tombeau d'Alet et moi qui m'étreint le cœur. Ce n'est pas l'idée de la mort qui a pénétré en moi : c'est l'idée que j'ai manqué ma vie et qu'une autre vie a été manquée, à cause de moi. Là où j'aurais dû être toujours et tout entier, je ne suis passé qu'en courant et n'ai donné de moi que peu de chose. Il serait bien étrange que, si bonne qu'elle fût et sans même vouloir se l'avouer, maman n'en eût jamais souffert. Au prix de son amour, qu'était le mien, et qu'était celui des autres ? À celle qui me préférait à tout, j'avais préféré des liaisons passagères, des ambitions inutiles, une trompeuse indépendance. Je sais que sa mort ne changera pas ma vie et cette vie ne m'inspire qu'un immense dégoût.

Je cherche à réagir. J'évoque ma dernière conversation avec l'âpre Montherlant et les plaisanteries de Flaubert. J'évoque des arguments moins saugrenus et des autorités moins romantiques et je dis comme Voltaire :

Je n'ai plus rien du sang qui m'a donné la vie;

ou comme Théognis :

Déraisonnable, insensé, qui pleure les morts, et ne pleure pas la fleur de sa jeunesse.

Je repousse l'idée qu'avec ma mère, la fleur de ma jeunesse vienne de mourir une seconde fois. Et je mets cette fleur et cette idée avec « la croix de ma mère » et les idées spiritualistes de mon ami Houssaye. S'il y a chez moi de la sentimentalité de ma mère, pourquoi n'y aurait-il pas du prosaïsme de ma cousine ? Et je souris, en pensant à une remarque de celle-ci, alors que je décrivais les vieilles robes trouvées dans la commode de maman :

– Si vous voulez les vendre, je vous donnerai l'adresse d'un costumier à qui j'ai vendu les robes de ma mère et les habits de mon beau-père. Il recherche tout ça pour les cirques.

– Et pour les pièces d'époque, ajouta plus dignement son mari.

Je venais de jouer une scène de toutes les époques et je n'en avais même pas le costume, j'en portais à peine la couleur classique : je n'avais que ma tenue de voyage – manteau bleu et costume gris; ma cravate noire était tout mon deuil. Qui se serait douté qu'un deuil si sobre fût celui d'un fils, le jour où il avait enterré sa mère ? N'était-ce pas le signe que je n'avais rien à démêler avec les sentiments communs, non plus qu'avec les usages établis ? L'anonymat de cette salle d'attente ne servait pas à me rapprocher de l'humanité, mais à m'en éloigner.

À ce moment, on entra dans la salle et, ouvrant les yeux, je vis trois petites jeunes filles qui, saluées par des cris de joie, se précipitaient vers les lycéens. Ils se levèrent pour les accueillir et leur faire place. Je les observai, en ayant l'air de sommeiller. Une conversation s'engagea, faite d'histoires innocentes. Puis, un garçon lut à mi-voix le récit d'un illustré : compagnons et compagnes écoutaient sagement.

Soudain, il me parut que l'un d'eux me surveillait. Et je vis alors ce que cette atmosphère idyllique m'avait empêché de voir : ce garçon et sa voisine étaient placés de telle sorte que la table les cachait des autres, mais non de moi, et, à l'abri d'un manteau, la fille caressait impudemment le garçon. Je fus sur le point d'ouvrir les yeux de manière ostensible pour les déranger; mais avais-je à sauver la morale dans les salles d'attente ? Pouvais-je ignorer que, même auprès de la mort, c'est la vie qui triomphe et qui nargue ? L'acte que mimaient ces amoureux précoces était-il la réponse à tout, le remède à tout, l'oubli de tout ? Cependant, leur cynisme habile ne laissait pas de m'étonner. À quoi, me disais-je, l'attribuerait un moraliste de profession ? Aux désordres de la guerre, comme il l'eût attribué, avant la guerre, aux désordres de la paix ? On a voulu, de tout temps, attribuer aux événements la corruption des mœurs; mais elle est toujours la même dans l'homme et dans l'enfant : les événements ne leur donnent qu'un peu plus ou un peu moins de cynisme.

Un prêtre vint s'asseoir. Il dut être maudit par le garçon, car il ramena de la décence dans l'attitude de la fille. Il ramena aussi mes pensées à des sujets plus nobles. Bientôt, le rapide fut annoncé. Je sortis, laissant ensemble le pasteur, les agneaux et les brebis – ils attendaient un omnibus.

Je me représentais les nombreuses fois que j'étais descendu de ce train ou que j'y étais monté, me rendant à Alet ou en repartant : je pars aujourd'hui pour la solitude du monde, orphelin de ma mère, comme je l'étais déjà de mon père. Je ne sens que mieux sa disparition à lui, maintenant que s'est consommée sa disparition à elle. Je ne sens que mieux la vanité de mes bravades et celle de mes illusions : je ne suis malheureusement pas un de ces esprits forts qui se glorifient de ne plus être des hommes, et je ne suis malheureusement pas un de ces esprits simples qu'apaiseraient des mots de bonnes sœurs.

C'est pourtant vers cet apaisement que je me tourne, parce que j'en ai besoin et qu'il n'y en a pas d'autre. J'éprouve le plus grand miracle de l'amour : celui de croire ce qu'au fond, je ne crois pas. Je sais que rien ne me rendra ma mère, qu'elle est morte à jamais, qu'elle n'est pas en moi, que sa présence invisible n'est qu'un leurre, que sa protection ne sera pas plus réelle que celle de mes dieux. Mais je dois faire comme si je ne le savais pas, pour avoir le courage de vivre.

2113
★ ★

Impression Brodard et Taupin à La Flèche (Sarthe)
le 12 décembre 1986
1068-5 Dépôt légal décembre 1986. ISBN 2-277-22113-9
Imprimé en France

Editions J'ai lu
27, rue Cassette, 75006 Paris
diffusion France et étranger : Flammarion